CME-K
2nd Edition

Textbook 課本
繁體版

輕鬆學漢語
少兒版

CHINESE
MADE
EASY
FOR KIDS

Joint Publishing (H.K.) Co., Ltd.
三聯書店（香港）有限公司

Yamin Ma

Chinese Made Easy for Kids (Textbook 4) (Traditional Character Version)

Yamin Ma

Editor	Hu Anyu, Li Yuezhan
Art design	Arthur Y. Wang, Yamin Ma
Cover design	Arthur Y. Wang, Zhong Wenjun
Graphic design	Zhong Wenjun
Typeset	Sun Suling

Published by

JOINT PUBLISHING (H.K.) CO., LTD.

20/F., North Point Industrial Building,

499 King's Road, North Point, Hong Kong

Distributed by

SUP PUBLISHING LOGISTICS (H.K.) LTD.

3/F., 36 Ting Lai Road, Tai Po, N.T., Hong Kong

First published January 2006

Second edition, first impression, April 2015

Second edition, second impression, June 2017

Copyright ©2006, 2015 Joint Publishing (H.K.) Co., Ltd.

E-mail:publish@jointpublishing.com

輕鬆學漢語　少兒版 (課本四)〔繁體版〕

編　著	馬亞敏
責任編輯	胡安宇　李玥展
美術策劃	王　宇　馬亞敏
封面設計	王　宇　鍾文君
版式設計	鍾文君
排　版	孫素玲
出　版	三聯書店（香港）有限公司
	香港北角英皇道 499 號北角工業大廈 20 樓
發　行	香港聯合書刊物流有限公司
	香港新界大埔汀麗路 36 號 3 字樓
印　刷	中華商務彩色印刷有限公司
	香港新界大埔汀麗路 36 號 14 字樓
版　次	2006 年 1 月香港第一版第一次印刷
	2015 年 4 月香港第二版第一次印刷
	2017 年 6 月香港第二版第二次印刷
規　格	大 16 開（210 × 260mm）128 面
國際書號	ISBN 978-962-04-3690-1

© 2006, 2015 三聯書店（香港）有限公司

簡介

- 《輕鬆學漢語》少兒版系列（第二版）是一套專門為漢語作為第二語言／外語學習者編寫的國際漢語教材，主要適合小學生使用。

- 本套教材旨在從小培養學生對漢語學習的興趣，幫助學生奠定扎實的漢語基礎，培養學生的漢語交際能力。

- 《輕鬆學漢語》少兒版共有四冊，每冊都有課本、練習冊、補充練習、讀物、教師用書、字卡、圖卡、掛圖和電子教學資源。

- 本套教材為學習給中學生和大學生編寫的《輕鬆學漢語》（一至七冊）奠定了基礎。

課程設計

教材內容

- 課本通過課文、根據課文編寫的韻律詩、多種形式的練習、有趣的課堂遊戲培養學生的語言交際能力，使學生在輕鬆的氛圍中學習漢語。

- 練習冊中有漢字描紅、抄寫漢字、讀句子、讀短文等練習，重點培養學生的漢字書寫和閱讀理解能力。

- 補充練習可以根據教學需要配合練習冊使用。其中的題目也可以用作單元測驗。

- 教師用書為教師提供了具體的教學建議，以及課本、練習冊和補充練習的答案。

INTRODUCTION

- The second edition of Chinese Made Easy for Kids is written for primary school children who are learning Chinese as a foreign/second language.

- The primary goal of the series is to help beginners build a solid foundation of Chinese and cultivate interest in learning Chinese. The series is designed to emphasize the development of communication skills from an early age.

- Chinese Made Easy for Kids is composed of 4 textbooks (Books 1-4), and each accompanied by a workbook. This series is supplemented by Worksheets, Readers, Teacher's book, word cards, picture cards, posters and digital resources.

- This series has been written to provide a foundation for the subsequent use of Chinese Made Easy (Books 1-7), that is written for secondary and university students.

DESIGN OF THE SERIES

The content of this series

- The Textbook aims to develop communication skills through audio exercises, conversations, questions and answers, speaking practice and etc. In order to reinforce and consolidate new vocabulary and sentences, the games in the Textbook are designed to create a fun learning environment. The accompanying rhymes mainly consist of the new vocabulary in each lesson to aid language acquisition.

- In order to build a solid foundation for character writing, tracing and copying characters exercises are included in the Workbook. Exercises such as reading phrases, sentences and short paragraphs aim to develop children's reading comprehension skills.

- In order to supplement the exercises in the Workbook, more exercises in the Worksheets are provided. These exercises can be rearranged to make unit tests when needed.

- Answers to the exercises in the Textbook, Workbook and Worksheets along with suggestions for teaching and learning are provided in the Teacher's book.

教材特色

- 考慮到社會的發展、漢語學習者的需求以及教學方法的變化，第二版對 2006 年出版的第一版《輕鬆學漢語》少兒版作了更新和優化。

o 吸收了一些新詞彙。

o 當介紹一個新字時，只提供適合該課的解釋。

o 為了方便學生課後溫習，這次改版為生詞配了錄音。

o 重複使用學過的詞語，讓韻律詩更簡單順口。

o 為了幫助學生更好地掌握漢語數字，增加了數字練習。

o 基於少兒有自然語言習得的特點，量詞又是漢語學習中的難點，所以這次改版增加了量詞練習。

o 為了使學生能更多地接觸漢字，更順暢地完成練習，在很多圖片旁都標註了漢字。

- 語音、漢字、詞彙、語法教學都遵循了漢語的內在規律和少兒的學習規律。

o 學生從一開始就接觸語音和聲調。通過不斷練習，幫助學生最終掌握標準的語音和語調。

o 根據漢字本身的結構來教漢字。在掌握了偏旁部首和簡單漢字後，學生就有能力分析遇到的生字，也能更有效地記住漢字。

o 所選的詞彙都是學生日常生活中常用的。為了鞏固和加強學生對詞語的掌握，學過的詞語會在以後的書中複現。

o 語法不作單獨的解釋。通過在具體的情景和有趣的練習中不斷接觸語法，學生會自然地悟出規律。

The characteristics of the series

- Since the 1st edition of Chinese Made Easy for Kids was published in 2005, the 2nd edition has evolved to take into account social development needs, learning needs and advances in foreign language teaching methodology.

o New vocabulary and expressions were included.

o When a new word was introduced, only one meaning was given.

o In order to help children review new vocabulary after school, audio recording was provided.

o Simple and previously learned vocabulary was used to make the rhymes easier.

o More exercises on Chinese numbers were added, in order to help children say numbers in Chinese more automatically and fluidly.

o Measure word exercises were added, as measure words are challenging to learn and children at young age can acquire them in a natural way.

o In order to provide more exposure to Chinese characters and help children perform tasks more smoothly, Chinese characters were given alongside the pictures.

- The teaching of pronunciation, characters, vocabulary and grammar respects the unique Chinese language system and the way Chinese is learned.

o Children will be exposed to the phonetic symbols and tones from the very beginning. Generally, it is found that children will overcome temporary confusion within a short period of time, and will eventually acquire good pronunciation and intonation of Chinese with on-going reinforcement of pinyin practice.

o Chinese characters are taught according to the character formation system. Once the children have a good grasp of radicals and simple characters, they will be able to analyze most of the compound characters they encounter, and to memorize new characters in a logical way.

o Children at this age tend to learn vocabulary related to their environment. The vocabulary in previous books is repeated in later books to consolidate and reinforce memory.

o Grammar and sentence structures are not explained in any forms, rather children arrive at grammar rules through consistent and interesting exercises provided throughout the books.

課堂教學建議

- 如果每天有一節漢語課，一冊書能在一年之內學完。教師可以根據學生的漢語水平和學習能力靈活安排教學進度。

- 在使用本套教材時，建議教師：
o 帶領學生做語音練習，鼓勵學生大聲讀出生詞。
o 一筆一劃地演示漢字的寫法，指導學生分析每個漢字的結構，鼓勵他們發揮想象記憶漢字。
o 課上要儘量為學生提供聽力和會話練習的機會。
o 佈置練習和活動時可以根據學生的能力和水平作適當的調整，增加難度或者重複使用。練習冊中的練習可以在課堂中使用，也可以讓學生在家裏做。
o 鼓勵學生背誦第三、四冊課本中的乘法口訣表。

- 在使用本套教材時，學生應該：
o 反覆聆聽課文和生詞的錄音。
o 就課本中的課文插圖做對話練習或復述課文。
o 朗讀並背誦每課的韻律詩。
o 做生字的描紅練習，記住偏旁部首和簡單漢字。

馬亞敏

2014 年 8 月於香港

HOW TO USE THIS SERIES

- With one lesson daily, able and highly motivated children can complete one book within one academic year. Ultimately, the pace of teaching depends on the children's level and ability. Here are a few suggestions from the author.

- The teachers should:
o Go over the phonetic exercises in the textbook with the children. At a later stage, the children should be encouraged to pronounce new pinyin on their own.
o Demonstrate the stroke order of each character to beginners. The teacher should guide the children in analyzing new characters and encourage them to use their imagination to aid memorization.
o Provide every opportunity for the children to develop their listening and speaking skills.
o Modify, recycle or extend the games and some exercises according to the children's levels. A wide variety of exercises in the workbook can be used for both class work and homework.
o Encourage children to recite times table in Books 3 and 4 of this series.

- The children are expected to:
o Listen to the recording of the text and new words.
o Make a conversation or retell the story by looking at the pictures in each text.
o Read and recite the rhyme in each lesson.
o Trace the new characters in each lesson and memorize radicals and simple characters.

Yamin Ma
August 2014, Hong Kong

Author's acknowledgements

The author is grateful to all the following people who have helped to bring the books to publication:

- 侯明女士 who trusted my ability and expertise in the field of Chinese language teaching and learning, and offered support during the period of publication.
- Editors, 李玥展、胡安宇，graphic designers, 鍾文君、孫素玲 for their meticulous work. I am greatly indebted to them.
- Art consultants, Arthur Y. Wang and Annie Wang, whose guidance, creativity and insight have made the books beautiful and attractive. Artists, 陸穎、萬瓊、龔華偉、于霆、張樂民、吳蓉蓉，Arthur Y. Wang and Annie Wang for their artistic ability in the illustrations.
- Ms. Xinying Li who gave valuable suggestions in the design of this series, contributed exercises and rhymes and proofread the manuscripts. I am grateful for her encouragement and support for my work.
- Ms. Xinying Li, 胡廉軻、馬繪淋、鍾心悅 who recorded the voice tracks that accompany this series.
- Finally, members of my family who have always supported and encouraged me to pursue my research and work on these books. Without their continual and generous support, I would not have had the energy and time to accomplish this project.

CONTENTS

第一課　你去過哪裏　Where have you been 1

第二課　北京的四季　Beijing's four seasons 8

第三課　他生病了　He is sick 14

第四課　這是游泳池　This is our swimming pool 22

第五課　請把書打開　Please open the book 30

第六課　學跳舞　My activities 38

第七課　烏龜腿很短　Tortoises have short legs 46

第八課　小狗的周末　My puppy's weekends 52

第九課　我家附近　My neighbourhood 60

第十課　我長大後　When I grow up 66

第十一課　媽媽做的菜　Mum's dishes.................. 74

第十二課　中餐很好吃　Chinese food is delicious 80

第十三課　我渴了　I am thirsty 88

第十四課　毛毛蟲　The caterpillar.................. 96

第十五課　弟弟的房間　My little brother's room 104

第十六課　吃飯要用碗　I eat with a bowl 112

第一課
dì yī kè

你去過哪裏
nǐ qù guo nǎ li

1. 小光去過很多國家。
xiǎo guāng qù guo hěn duō guó jiā

2. 他去過西班牙。
tā qù guo xī bān yá
他外公、外婆住
tā wài gōng wài pó zhù
在那裏。
zài nà li

3. 他去過新加坡。
tā qù guo xīn jiā pō
他去那裏看他爺
tā qù nà li kàn tā yé
爺、奶奶。
ye nǎi nai

4

tā qù guo ào dà lì yà　　tā
他去過澳大利亞。他
shū shu zài nà li shàng dà xué
叔叔在那裏上大學。

5

tā qù guo yì dà lì　　　tā
他去過意大利。他
gū gu zài nà li gōng zuò
姑姑在那裏工作。

6

tā wèn bà ba　　　　yuè liang
他問爸爸："月亮
shang yǒu shén me guó jiā
上有什麼國家？"

2

New words: 🎧 2

1. **guo** 過 indicate past experience
2. **guó jiā** 國家 country
3. **xī bān yá** 西班牙 Spain
4. **nà li** 那裏 there
5. **kàn** 看 visit

6. **xīn jiā pō** 新加坡 Singapore
7. **ào dà lì yà** 澳大利亞 Australia
8. **dà xué** 大學 university
9. **liàng** 亮 bright
   yuè liang 月亮 moon

1 Say in Chinese.

EXAMPLE: **rì** 日

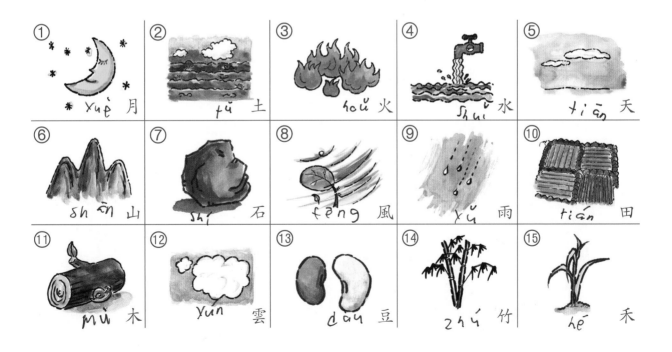

① yuè 月
② tǔ 土
③ hoǔ 火
④ shuǐ 水
⑤ tiān 天
⑥ shān 山
⑦ shí 石
⑧ fēng 風
⑨ yǔ 雨
⑩ tián 田
⑪ mù 木
⑫ yún 雲
⑬ dàu 豆
⑭ zhú 竹
⑮ hé 禾

2 Speaking practice.

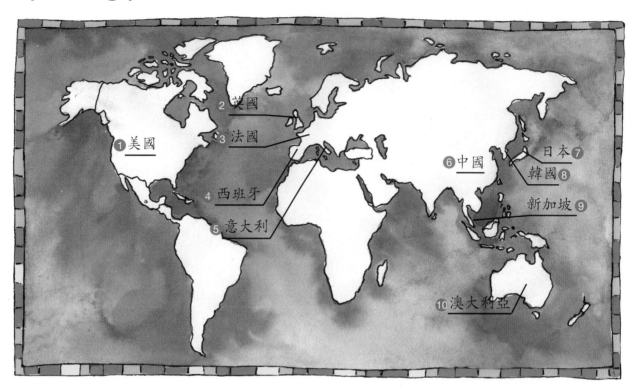

EXAMPLE: ① <ruby>美<rt>měi</rt></ruby><ruby>國<rt>guó</rt></ruby>

<ruby>美<rt>měi</rt></ruby><ruby>國<rt>guó</rt></ruby><ruby>人<rt>rén</rt></ruby><ruby>說<rt>shuō</rt></ruby><ruby>英<rt>yīng</rt></ruby><ruby>語<rt>yǔ</rt></ruby>。

> Task 1: Say the country names in Chinese.
> Task 2: Say one sentence about each country.

3 Recite the times table on page 120.

<ruby>一<rt>yī</rt></ruby><ruby>一<rt>yī</rt></ruby><ruby>得<rt>dé</rt></ruby><ruby>一<rt>yī</rt></ruby>。

1 x 1 = 1

4 Learn the characters.

máo
毛
wool; hair

yá
牙
tooth

5 Ask your classmates the questions. Report back to the class.

Questions		Number of classmates have been to ...
nǐ qù guo zhōng guó ma 1) 你去過中國嗎?	★ (flag)	正
nǐ qù guo hán guó ma 2) 你去過韓國嗎?	(flag)	
nǐ qù guo rì běn ma 3) 你去過日本嗎?	(flag)	
nǐ qù guo fǎ guó ma 4) 你去過法國嗎?	(flag)	
nǐ qù guo xīn jiā pō ma 5) 你去過新加坡嗎?	(flag)	
nǐ qù guo měi guó ma 6) 你去過美國嗎?	(flag)	
nǐ qù guo ào dà lì yà ma 7) 你去過澳大利亞嗎?	(flag)	

EXAMPLE:

wǔ ge tóng xué qù guo zhōng guó
五個同學去過中國……

6 Listen to the recording. Tick what is correct and cross what is incorrect. 🎧3

1 ∨

2

3

4

7 Speaking practice.

EXAMPLE:

wǒ jiào gāo xiǎo wén   wǒ jīn nián bā
我叫高小文。我今年八
suì   shàng sì nián jí   wǒ shì zhōng guó rén
歲，上四年級。我是中國人。
wǒ zài yīng guó chū shēng   wǒ huì shuō yīng yǔ
我在英國出生。我會説英語、
hàn yǔ hé fǎ yǔ   wǒ qù guo
漢語和法語。我去過……

| IT IS YOUR TURN! | Introduce yourself.

8 Listen, clap and practise.  4

xī bān yá　　wǒ qù guo
西班牙，我去過，

wài gōng　　wài pó zhù zài nàr
外公、外婆住在那兒。

xīn jiā pō　　wǒ qù guo
新加坡，我去過，

yé ye　　nǎi nai zhù zài nàr
爺爺、奶奶住在那兒。

yuè liang shang　　shéi qù guo
月亮上，誰去過？

dà jiā dōu shuō méi qù guo
大家都說沒去過。

9 Game.

中國

INSTRUCTIONS:

1 The class is divided into small groups.

2 The teacher whispers a word to the first member of the group. The word is whispered along to the last member who is expected to repeat that word correctly.

3 If the last member of the group does not repeat the word correctly, this group is out of the game.

10 Project.

Draw a map of the world and mark the countries/places where your family members/friends live. Learn the names of these countries/places.

dì èr kè
第二課
běi jīng de sì jì
北京的四季

🎧 5

春 冬 夏 秋

běi jīng yì nián yǒu sì ge jì jié
① 北京一年有四個季節：

chūn tiān
春天、

xià tiān
夏天、

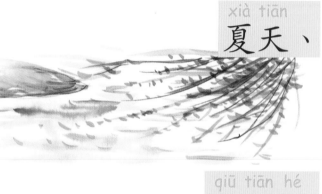

qiū tiān hé
秋天和

dōng tiān
冬天。

 ② 北京現在是冬天，氣温
běi jīng xiàn zài shì dōng tiān　　qì wēn

zài líng xià wǔ dù zuǒ yòu
在零下五度左右。

New words: 🎧6

1. 季 season　　季節 season
   jì　　　　　jì jié

2. 春 spring　　春天 spring
   chūn　　　　chūn tiān

3. 夏 summer　　夏天 summer
   xià　　　　　xià tiān

4. 秋 autumn　　秋天 autumn
   qiū　　　　　qiū tiān

5. 冬 winter　　冬天 winter
   dōng　　　　dōng tiān

6. 氣 air
   qì

7. 温 temperature
   wēn

   氣温 air temperature
   qì wēn

8. 零下 below zero
   líng xià

9. 度 degree
   dù

10. 左右 around
    zuǒ yòu

1 Learn the characters.

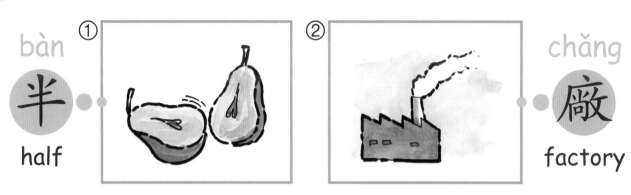

bàn
半
half
①

②

chǎng
廠
factory

2 Say in Chinese.

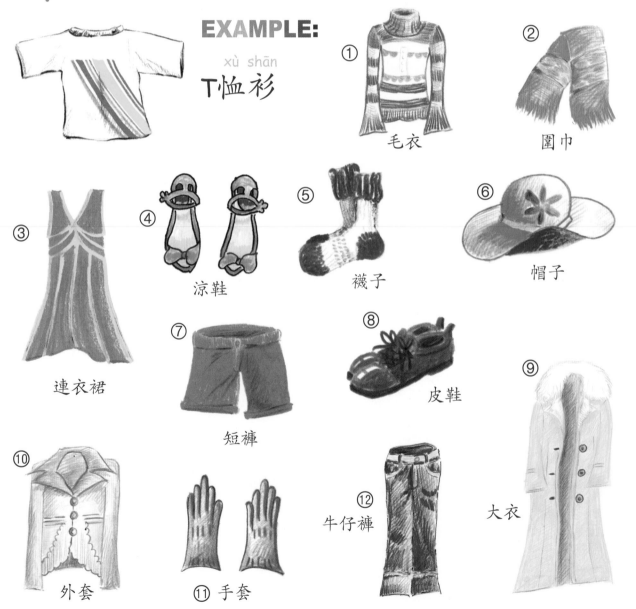

EXAMPLE:

xù shān
T恤衫

① 毛衣

② 圍巾

③ 連衣裙

④ 涼鞋

⑤ 襪子

⑥ 帽子

⑦ 短褲

⑧ 皮鞋

⑨ 大衣

⑩ 外套

⑪ 手套

⑫ 牛仔褲

3 Recite the times table on page 120.

yī èr dé èr ...... èr èr dé sì
一二得二，……二二得四。
1 x 2 = 2   2 x 2 = 4

4 Speaking practice.

shàng hǎi　duō yún
上海：多雲 15℃

EXAMPLE:

shàng hǎi jīn tiān duō yún　　qì wēn
上海今天多雲，氣温
zài shí wǔ dù zuǒ yòu
在十五度左右。

① běi jīng　qíng
北京：晴 5℃

② dōng jīng　xià xuě
東京：下雪 −5℃

③ lún dūn　xiǎo yǔ
倫敦：小雨 12℃

④ bā lí　duō yún
巴黎：多雲 10℃

⑤ niǔ yuē　dà xuě
紐約：大雪 −10℃

⑥ xī ní　xià yǔ
悉尼：下雨 20℃

5 Listen to the recording. Tick what is correct and cross what is incorrect. 🎧 7

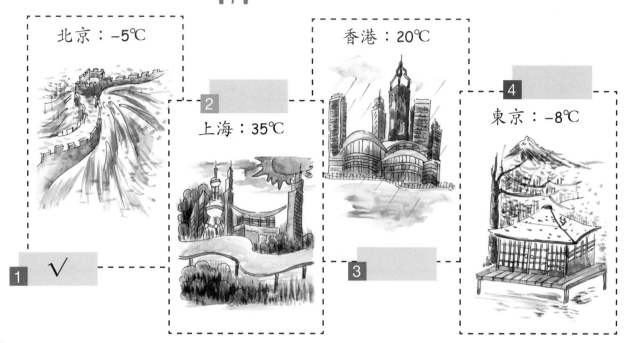

北京：-5℃

上海：35℃

2

香港：20℃

東京：-8℃

4

1 ✓

3

6 Speaking practice.

chūn tiān	*chūn tiān wǒ cháng chuān chèn shān*
1) 春天：	春天我常穿襯衫……
xià tiān	
2) 夏天：	
qiū tiān	
3) 秋天：	
dōng tiān	
4) 冬天：	

7 Project.

Draw two pieces of clothes for aliens on other planets.
Describe them to the class.

8 Listen, clap and practise. 🎧8

yì nián yǒu sì jì
一年有四季：
chūn xià hé qiū dōng
春夏和秋冬。
dōng tiān lěng　　xià tiān rè
冬天冷，夏天熱，
chūn tiān　　qiū tiān wǒ xǐ huan
春天、秋天我喜歡！

9 Game.

INSTRUCTIONS:

1 The class is divided into small groups.

2 Each group is asked to write radicals.

3 The group writing more correct radicals than any other groups wins the game.

10 Speaking practice.

EXAMPLE:

lún dūn jīn tiān duō yún　　qì wēn zài shí èr
倫敦今天多雲，氣温在十二
London
dù zuǒ yòu　　bù lěng yě bú rè
度左右，不冷也不熱。

IT IS YOUR TURN! Report the weather forecast of a particular place.

第三課
dì sān kè

他生病了
tā shēng bìng le

① 小光對醫生說："我
xiǎo guāng duì yī shēng shuō wǒ
生病了。"
shēng bìng le

②

"我頭痛。"
wǒ tóu tòng

③ "我咳嗽。"
wǒ ké sou

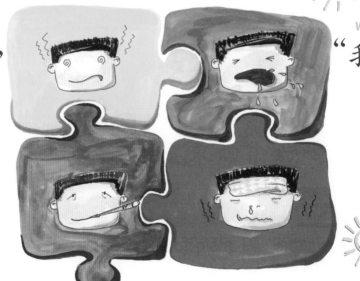

④

"我發燒了。"
wǒ fā shāo le

⑤ "我感冒了。"
wǒ gǎn mào le

6 yī shēng shuō nǐ bú yào qù
醫 生 説 ："你 不 要 去
shàng xué le
上 學 了 。"

7 xiǎo guāng shuō wǒ bìng hǎo le
小 光 説 ："我 病 好 了 。
wǒ yào qù shàng xué
我 要 去 上 學 。"

New words: 🎧 10

1 duì 對 to	**6** fā shāo 發燒 have a fever
2 yī 醫 doctor　yī shēng 醫生 doctor	**7** gǎn mào 感冒 catch cold
3 bìng 病 illness　shēng bìng 生病 fall ill	**8** yào 要 should; need; want
4 tòng 痛 ache; pain　tóu tòng 頭痛 headache	bú yào 不要 don't
5 ké sou 咳嗽 cough	**9** hǎo 好 get well

1 Say in Chinese.

Useful words:

a 鼻子 bí zi

b 手 shǒu

c 頭 tóu

d 眼睛 yǎn jing

e 頭髮 tóu fa

f 腿 tuǐ

g 腳 jiǎo

h 耳朵 ěr duo

i 牙 yá

j 嘴巴 zuǐ ba

k 身體 shēn tǐ

2 Learn the characters.

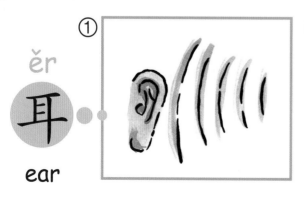

① ěr

耳

ear

② xīn

心

heart

16

3 Recite the times table on page 120.

yī sān dé sān sān sān dé jiǔ
一三得三，……三三得九。
1×3=3 3×3=9

4 Say in Chinese.

EXAMPLE:

gǎn mào
感冒

1 咳嗽

2 發燒

4 腳痛

3 牙痛

5 頭痛

5 Listen, clap and practise. 🎧11

wǒ jiā xiǎo dì di
我家小弟弟，
shēng bìng zài jiā li
生病在家裏，
tóu tòng　ké sou hái fā shāo
頭痛、咳嗽還發燒，
yòu kàn yī shēng yòu chī yào
又看醫生又吃藥。

6 Speaking practice.

EXAMPLE:

tā bú pàng　　tā de liǎn
他 不 胖。 他 的 臉

yuán yuán de　　yǎn jing dà dà de
圓 圓 的， 眼 睛 大 大 的，

bí zi gāo gāo de　　zuǐ ba xiǎo
鼻 子 高 高 的， 嘴 巴 小

xiǎo de　　tā chuān　　xù shān hé duǎn
小 的。 他 穿 T恤衫 和 短

kù　　tā jiǎo shang chuān liáng xié
褲。 他 腳 上 穿 涼 鞋。

Useful words:

ǎi		
a	矮	
gāo		
b	高	
shòu		
c	瘦	
pàng		
d	胖	
cháng		
e	長	
duǎn		
f	短	
juǎn fà		
g	捲 髮	
zhí fà		
h	直 髮	
yǎn jìng		
i	眼 鏡	
chuān		
j	穿	
dài		
k	戴	

❶　　❷　　❸　　❹

18

7 Say in Chinese.

EXAMPLE:

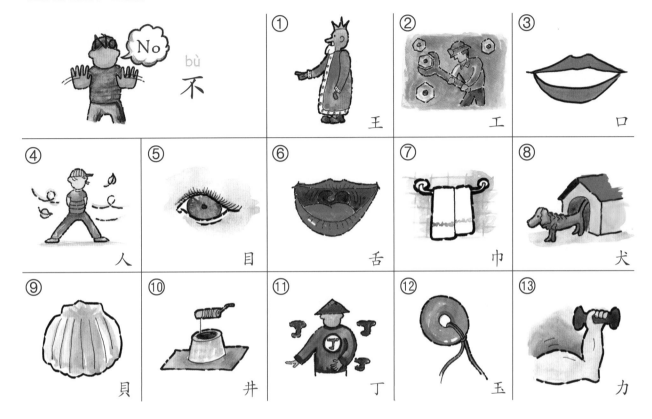

8 Listen to the recording. Tick what is correct and cross what is incorrect. 🎧12

9 Ask your classmates the questions.

1) nǐ jiā yǒu jǐ kǒu rén　nǐ jiā yǒu shéi
你家有幾口人？你家有誰？

2) nǐ jīn nián jǐ suì　nǐ de shēng rì shì jǐ yuè jǐ hào
你今年幾歲？你的生日是幾月幾號？

3) nǐ yé ye　nǎi nai zhù zài nǎ li
你爺爺、奶奶住在哪裏？

4) nǐ yǒu gū gu ma　tā zhù zài nǎr
你有姑姑嗎？她住在哪兒？

10 Read the notes below, draw pictures and say the names of these animals.

1

tā shēn shang de máo shì hēi sè de
牠身上的毛是黑色的。
tā yǒu sì tiáo tuǐ
牠有四條腿。
tā xǐ huan chī yú
牠喜歡吃魚。

2

tā shēn shang de máo hěn duǎn
牠身上的毛很短。
tā yǒu sì tiáo tuǐ
牠有四條腿。
tā xǐ huan chī xiǎo dòng wù
牠喜歡吃小動物。

3

tā shēn shang de máo shì hēi sè hé bái
牠身上的毛是黑色和白
sè de　tā de yǎn jing yuán yuán
色的。牠的眼睛圓圓
de　tā xǐ huan chī zhú zi
的。牠喜歡吃竹子。

4

tā de shēn tǐ hěn gāo dà
牠的身體很高大。
tā de bí zi hěn cháng
牠的鼻子很長。
tā de ěr duo dà dà de
牠的耳朵大大的。

11 Game.

坐下！

INSTRUCTIONS:

1 The whole class may join the game.

2 When the teacher says a command, the students are expected to act accordingly.

3 Those who do not do exactly what the teacher says are out of the game.

Words:

kū a) 哭	xiào b) 笑	pǎo c) 跑	tiào d) 跳	jiào e) 叫
pāi qiú f) 拍球	kāi mén g) 開門	guān mén h) 關門	kāi chuāng i) 開窗	guān dēng j) 關燈
jìn lai k) 進來	chū qu l) 出去	kàn shū m) 看書	shuā yá n) 刷牙	tán gāng qín o) 彈鋼琴
chī fàn p) 吃飯	hē shuǐ q) 喝水	tī zú qiú r) 踢足球	shuì jiào s) 睡覺	kàn diàn shì t) 看電視

12 Project.

Draw a picture of those aliens living in outer space.
Describe to the class what they look like.

dì sì kè
第四課
zhè shì yóu yǒng chí
這是游泳池
13

☀ 1 這是我的學校。我的學
zhè shì wǒ de xué xiào   wǒ de xué

校不大也不小。
xiào bú dà yě bù xiǎo

☀ 2 游泳池在體育館前面。
yóu yǒng chí zài tǐ yù guǎn qián miàn

☀ 4 女廁所
nǔ cè suǒ

在那兒。
zài nàr

☀ 3 小賣部在電腦室後面。
xiǎo mài bù zài diàn nǎo shì hòu miàn

22

⑤ "我的小狗在哪兒？" 天一問。

wǒ de xiǎo gǒu zài nǎr *tiān yī wèn*

⑥ "我在這兒呢！" 小狗說。

wǒ zài zhèr ne *xiǎo gǒu shuō*

New words: 🎧14

❶ 前 front *qián*	前面 in front *qián miàn*		❻ 賣 sell *mài*	小賣部 tuck shop *xiǎo mài bù*
❷ 游 swim *yóu*			❼ 廁 toilet *cè*	
❸ 泳 swim *yǒng*	游泳 swim *yóu yǒng*		❽ 所 place *suǒ*	廁所 toilet *cè suǒ*
❹ 池 pool *chí*	游泳池 swimming pool *yóu yǒng chí*		❾ 那兒 there *nàr*	
❺ 後 back *hòu*	後面 behind *hòu miàn*		❿ 這兒 here *zhèr*	

1 Say in Chinese.

EXAMPLE:

chē zài
車在 房子外面。

①

māo zài
貓在 ＿＿＿＿＿＿。

②

hóng chē zài
紅車在 ＿＿＿＿＿＿。

③

bēi zi zài
杯子在 ＿＿＿＿＿＿。

④

qiān bǐ zài
鉛筆在 ＿＿＿＿＿＿。

⑤

xiǎo gǒu zài
小狗在 ＿＿＿＿＿＿。

⑥

xiàng pí zài
橡皮在 ＿＿＿＿＿＿。

⑦

zì xíng chē zài
自行車在 ＿＿＿＿＿＿。

2 Learn the characters.

kāi
開
open

guān
關
close

3 Make short conversations.

nǐ jiā kè tīng li yǒu shén me
1) 你家客廳裏有什麼?

nǐ de fáng jiān li yǒu shén me
2) 你的房間裏有什麼?

nǐ de yī guì li yǒu shén me
3) 你的衣櫃裏有什麼?

nǐ de shū bāo li yǒu shén me
4) 你的書包裏有什麼?

EXAMPLE:

nǐ jiā shū fáng li yǒu shén me
A: 你家書房裏有什麼?

yǒu shū zhuō yǐ zi diàn
B: 有書桌、椅子、電
huà děng děng
話等等。

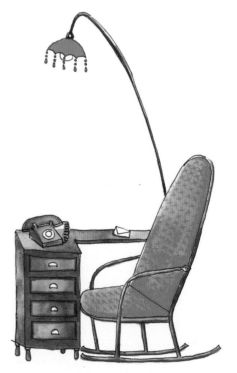

4 Draw your school and describe it to class.

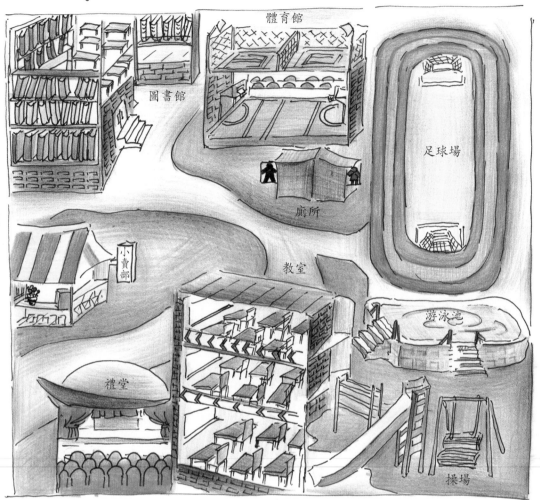

EXAMPLE:

　　_{zhè shì wǒ men xué xiào}　_{wǒ men xué xiào yǒu jiào shì}　_{tú shū}
這是我們學校。我們學校有教室、圖書

_{guǎn}　_{tǐ yù guǎn}　_{cāo chǎng}　_{yóu yǒng chí}　_{lǐ táng}　_{xiǎo mài bù hé}
館、體育館、操場、游泳池、禮堂、小賣部和

_{cè suǒ}
廁所。

　　_{xiǎo mài bù zài tú shū guǎn qián miàn}　_{zú qiú chǎng zài yóu yǒng chí hòu}
小賣部在圖書館前面。足球場在游泳池後

_{miàn}　_{tǐ yù guǎn zài zú qiú chǎng zuǒ bian}
面。體育館在足球場左邊。

5 Listen to the recording. Tick what is correct and cross what is incorrect. 🎧15

1 ✓

2

3

4

6 Listen, clap and practise. 🎧16

yóu yǒng chí zài zuǒ bian
游泳池在左邊，

nǚ cè suǒ zài yòu bian
女廁所在右邊，

dà cāo chǎng zài qián miàn
大操場在前面，

xiǎo mài bù zài hòu miàn
小賣部在後面。

wǒ de jiào shì zài zhōng jiān
我的教室在中間。

7 Group work: write a character for each radical.

1) 氵: 泳　　2) 阝: ☐　　3) 火: ☐　　4) 广: ☐

5) 疒: ☐　　6) 心: ☐　　7) 禾: ☐　　8) 日: ☐

9) 木: ☐　　10) 土: ☐　　11) 宀: ☐　　12) 口: ☐

8 Say in Chinese.

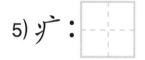

EXAMPLE:

lái　qù
來　去

大　　　　　小

多　　　　　少

出　　　　　入

左　　　　　右

28

9 Recite the times table on page 120.

10 Game.

INSTRUCTIONS:

1 The whole class may join the game.

2 The teacher names one item, and the students are expected to add more to the same category.

3 Those who do not add any or add wrong items are out of the game.

11 Project.

Draw your room and the things in it. Describe your room to the class.

dì wǔ kè
第五課
qǐng bǎ shū dǎ kāi
請把書打開

17

1 qǐng ān jìng
請安靜！

2 qǐng bǎ kè běn ná chu lai
請把課本拿出來！

3 qǐng bǎ shū dǎ kāi
請把書打開！

4 bú yào xiě le　　rèn zhēn tīng
不要寫了。認真聽。

⑤ qǐng bǎ shū hé shang
請把書合上！

⑥ qǐng bǎ kè běn fàng jin shū bāo li
請把課本放進書包裏！

⑦

xiǎo gǒu wèn lǎo shī　　wǒ
小狗問老師：“我
gàn shén me　　wǒ kě yǐ qù
幹什麼？ 我可以去
cè suǒ ma
廁所嗎？ ”

lǎo shī shuō　　xíng
老師説：“行。”

New words: 🎧18

1. ān 安 calm

2. jìng 靜 quiet　ān jìng 安靜 quiet

3. chū lai 出來 indicate the direction of motion from inside

4. dǎ 打 open　dǎ kāi 打開 open

5. xiě 寫 write

6. rèn zhēn 認真 take seriously

7. tīng 聽 listen

8. hé 合 close

9. fàng 放 put; place

10. kě yǐ 可以 can; may

11. xíng 行 OK

1 Say in Chinese.

EXAMPLE:

duì bu qǐ
對不起！

3 請進！

4 別說話！

5 站起來！

6 請坐！

1 請開燈！

2 請關門！

32

2 Learn the characters.

bái

白

white

wū

鳥

black; dark

3 Listen to the recording. Tick what is correct and cross what is incorrect. 🎧19

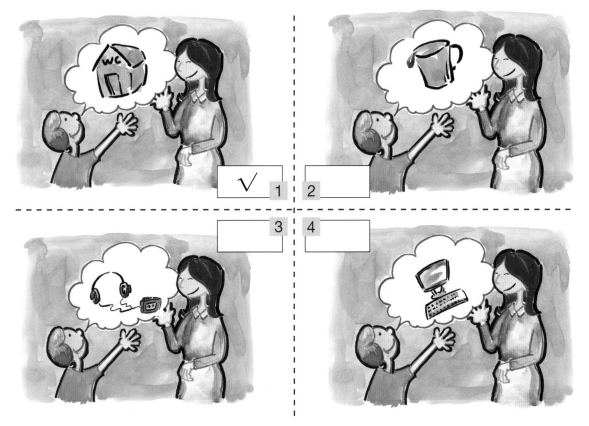

4 Project.

Create five new kinds of stationery. Name each of your inventions.

5 Make short conversations.

EXAMPLE:

xiǎo míng　　wǒ xiàn zài gàn shén me
小明：我現在幹什麼？
yé ye　　　　nǐ qù zuò zuò yè
爺爺：你去做作業。

①

玩兒電腦遊戲

②

刷牙

③

踢足球

④

看電視

⑤

睡覺

⑥

看書

6 Listen, clap and practise. 🎧20

<ruby>小<rt>xiǎo</rt></ruby> <ruby>朋<rt>péng</rt></ruby> <ruby>友<rt>you</rt></ruby> <ruby>們<rt>men</rt></ruby> <ruby>請<rt>qǐng</rt></ruby> <ruby>安<rt>ān</rt></ruby> <ruby>靜<rt>jìng</rt></ruby> ，

<ruby>快<rt>kuài</rt></ruby> <ruby>把<rt>bǎ</rt></ruby> <ruby>課<rt>kè</rt></ruby> <ruby>本<rt>běn</rt></ruby> <ruby>拿<rt>ná</rt></ruby> <ruby>出<rt>chu</rt></ruby> <ruby>來<rt>lai</rt></ruby> ，

<ruby>打<rt>dǎi</rt></ruby> <ruby>開<rt>kāi</rt></ruby> <ruby>書<rt>shū</rt></ruby> ， <ruby>認<rt>rèn</rt></ruby> <ruby>真<rt>zhēn</rt></ruby> <ruby>讀<rt>dú</rt></ruby> ，

<ruby>看<rt>kàn</rt></ruby> <ruby>誰<rt>shéi</rt></ruby> <ruby>讀<rt>dú</rt></ruby> <ruby>得<rt>de</rt></ruby> <ruby>準<rt>zhǔn</rt></ruby> <ruby>又<rt>yòu</rt></ruby> <ruby>熟<rt>shú</rt></ruby> 。

7 Game.

請進

INSTRUCTIONS:

1 The whole class may join the game.

2 When the teacher says a command, the students are expected to follow the command.

3 Those who do not follow the command are out of the game.

8 Recite the times table on page 120.

<ruby>一<rt>yī</rt></ruby> <ruby>五<rt>wǔ</rt></ruby> <ruby>得<rt>dé</rt></ruby> <ruby>五<rt>wǔ</rt></ruby> ，……<ruby>五<rt>wǔ</rt></ruby> <ruby>五<rt>wǔ</rt></ruby> <ruby>二<rt>èr</rt></ruby> <ruby>十<rt>shí</rt></ruby> <ruby>五<rt>wǔ</rt></ruby> 。

1x5=5   5x5=25

9 Say in Chinese.

qiān bǐ
EXAMPLE: 鉛筆

Useful words:

kè běn
ⓐ 課本

liàn xí běn
ⓑ 練習本

rì jì běn
ⓒ 日記本

cǎi sè bǐ
ⓓ 彩色筆

qiān bǐ
ⓔ 鉛筆

wén jù hé
ⓕ 文具盒

juǎn bǐ dāo
ⓖ 捲筆刀

xiàng pí
ⓗ 橡皮

jiǎn dāo
ⓘ 剪刀

gù tǐ jiāo
ⓙ 固體膠

🔟 Make short conversations.

跑步

EXAMPLE:

tā zài gàn shén me
A: 她在幹什麼？
tā zài pǎo bù
B: 她在跑步。

①

滑滑梯

②

盪鞦韆

③

上課

④

捉迷藏

⑤

洗澡

⑥

吃早飯

⑦

滑雪

⑧

拍皮球

⑨

騎自行車

dì liù kè
第六課
xué tiào wǔ
學跳舞

21

zǎo shang bā diǎn　　mā ma dài wǒ qù xué chàng gē
1 早上八點，媽媽帶我去學唱歌。

2
shàng wǔ shí diǎn　　mā ma dài wǒ
上午十點，媽媽帶我
qù xué tiào wǔ
去學跳舞。

3
zhōng wǔ shí èr diǎn　　mā ma dài
中午十二點，媽媽帶
wǒ qù xué huà huàr
我去學畫畫兒。

④

<ruby>下午兩點，媽媽帶<rt>xià wǔ liǎng diǎn　mā ma dài</rt></ruby>
<ruby>我去學拉小提琴。<rt>wǒ qù xué lā xiǎo tí qín</rt></ruby>

⑤

<ruby>我對媽媽説："我要做<rt>wǒ duì mā ma shuō　wǒ yào zuò</rt></ruby>
<ruby>小白兔。我可以吃吃喝<rt>xiǎo bái tù　wǒ kě yǐ chī chī hē</rt></ruby>
<ruby>喝，什麼都不用做！"<rt>hē　shén me dōu bú yòng zuò</rt></ruby>

New words: 🎧22

1 <ruby>早上<rt>zǎo shang</rt></ruby> (early) morning

2 <ruby>唱<rt>chàng</rt></ruby> sing

3 <ruby>歌<rt>gē</rt></ruby> song　<ruby>唱歌<rt>chàng gē</rt></ruby> sing

4 <ruby>舞<rt>wǔ</rt></ruby> dance　<ruby>跳舞<rt>tiào wǔ</rt></ruby> dance

5 <ruby>畫<rt>huà</rt></ruby> draw; paint

　<ruby>畫兒<rt>huàr</rt></ruby> drawing; painting

　<ruby>畫畫兒<rt>huà huàr</rt></ruby> draw a picture; paint a painting

6 <ruby>下午<rt>xià wǔ</rt></ruby> afternoon

7 <ruby>拉<rt>lā</rt></ruby> play (certain musical instruments)

8 <ruby>小提琴<rt>xiǎo tí qín</rt></ruby> violin

　<ruby>拉小提琴<rt>lā xiǎo tí qín</rt></ruby> play the violin

9 <ruby>做<rt>zuò</rt></ruby> do

10 <ruby>什麼<rt>shén me</rt></ruby> whatever

11 <ruby>不用<rt>bú yòng</rt></ruby> no need

1 Make short conversations.

你要穿雨鞋。
nǐ yào chuān yǔ xié

EXAMPLE:

媽媽：你要穿雨鞋。
mā ma　　nǐ yào chuān yǔ xié

兒子：不用，穿皮鞋就可以了
ér zi　　bú yòng　chuān pí xié jiù kě yǐ le

① 我要坐出租車。
wǒ yào zuò chū zū chē

② 你要用彩色筆畫畫兒。
nǐ yào yòng cǎi sè bǐ huà huàr

③ 你要用 生菜做沙拉。
nǐ yào yòng shēng cài zuò shā lā

④ 我明天要七點起牀。
wǒ míng tiān yào qī diǎn qǐ chuáng

Answers:

a) 不用，用 黃瓜也可以。
bú yòng　　yòng huáng guā yě kě yǐ

b) 不用，用鉛筆也可以。
bú yòng　　yòng qiān bǐ yě kě yǐ

c) 不用，八點起牀 也可以。
bú yòng　　bā diǎn qǐ chuáng yě kě yǐ

d) 不用，坐地鐵也可以。
bú yòng　　zuò dì tiě yě kě yǐ

要 need; should
yào

不用 no need
bú yòng

2 Listen, clap and practise. 🎧23

xīng qī liù   wǒ zhēn máng
星期六，我真忙：
shàng wǔ yào qù xué tiào wǔ
上午要去學跳舞，
xià wǔ yào qù xué huà huàr
下午要去學畫畫兒，
wǎn shang hái yào xué xiǎo tí qín
晚上還要學小提琴。

3 Listen to the recording. Tick what is correct and cross what is incorrect. 🎧24

4 Match the caption with the picture.

⑤ 小雞問母雞：“我可以去游泳
嗎？”母雞對小雞說：“不行。”

①

小雞問母雞：“我可以飛嗎？”母
雞對小雞說：“不行。”

②

小雞問母雞：“我可以吃貓糧嗎？”
母雞對小雞說：“不行。”

③

小雞問母雞：“我可以在馬路上走
走嗎？”母雞對小雞說：“不行。”

④

小雞問母雞：“我可以吃小蟲子
嗎？”母雞高興地對小雞說：
“行。”

⑤

5 Project.

Create a story like the one on page 42. Draw a series of pictures and write the captions to describe them.

6 Learn the characters.

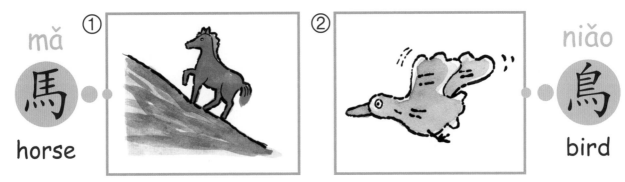

mǎ
馬
horse

niǎo
鳥
bird

7 Say the time in Chinese.

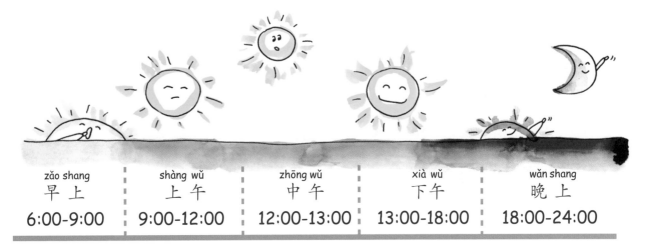

zǎo shang	shàng wǔ	zhōng wǔ	xià wǔ	wǎn shang
早上	上午	中午	下午	晚上
6:00-9:00	9:00-12:00	12:00-13:00	13:00-18:00	18:00-24:00

zǎo shang liù diǎn bàn
EXAMPLE: 6:30 → 早上六點半

1 5:30 → _____

2 9:25 → _____

3 11:00 → _____

4 12:45 → _____

5 16:55 → _____

6 20:50 → _____

8 Make short conversations.

唱歌

EXAMPLE:

tā men zài gàn shén me
A: 他們在幹什麼？
tā men zài chàng gē
B: 他們在唱歌。

2 ⋯⋯ 畫畫兒

1 ⋯⋯ 跳舞

4 ⋯⋯ 游泳

3 ⋯⋯ 拉小提琴

5 ⋯⋯ 彈鋼琴

6 ⋯⋯ 做作業

44

9 Recite the times table on page 120.

yī liù dé liù
一六得六，……
$1 \times 6 = 6$

liù liù sān shí liù
六六三十六。
$6 \times 6 = 36$

10 Make short conversations.

EXAMPLE:

wǒ xiàn zài gàn shén me
A: 我現在幹什麼？

nǐ kuài qù xǐ liǎn　　shuā yá
B: 你快去洗臉、刷牙。

洗臉、刷牙

吃早飯

看書

做作業

上學

回家

洗澡

睡覺

wū guī tuǐ hěn duǎn
烏龜腿很短

🎧25

① zài dòng wù yuán　　dì di wèn
在動物園，弟弟問

le hěn duō wèn tí
了很多問題：

② wū guī de tuǐ hěn duǎn　　cháng tuǐ
"烏龜的腿很短。長腿

de wū guī huì hǎo kàn ma
的烏龜會好看嗎？"

③ cháng jǐng lù de bó zi hěn cháng　　duǎn bó
"長頸鹿的脖子很長。短脖

zi de cháng jǐng lù huì hǎo kàn ma
子的長頸鹿會好看嗎？"

④ "大猩猩沒有尾巴。有
dà xīng xing méi yǒu wěi ba yǒu

尾巴的大猩猩會好看
wěi ba de dà xīng xing huì hǎo kàn

嗎?"
ma

⑤ "河馬的頭很大。小頭
hé mǎ de tóu hěn dà xiǎo tóu

的河馬會好看嗎?"
de hé mǎ huì hǎo kàn ma

New words: 🎧 26

① 問題 question
wèn tí

② 龜 tortoise 烏龜 tortoise
guī wū guī

③ 會 be likely to
huì

④ 好看 good-looking
hǎo kàn

⑤ 頸 neck
jǐng

⑥ 鹿 deer 長頸鹿 giraffe
lù cháng jǐng lù

⑦ 脖 neck 脖子 neck
bó bó zi

⑧ 大猩猩 gorilla
dà xīng xing

⑨ 尾 tail 尾巴 tail
wěi wěi ba

⑩ 河 river 河馬 hippopotamus
hé hé mǎ

1 Describe the pictures.

EXAMPLE:

shī zi tóu shang de máo hěn cháng   tā de máo
獅子頭上的毛很長，牠的毛
shì huáng sè de   tā de zuǐ ba hěn dà   tā xǐ
是黃色的。牠的嘴巴很大。牠喜
huan chī ròu
歡吃肉。

①

②

③

④

⑤

⑥

⑦

⑧

⑨

⑩

⑪

⑫

2 Learn the characters.

zhuǎ ① 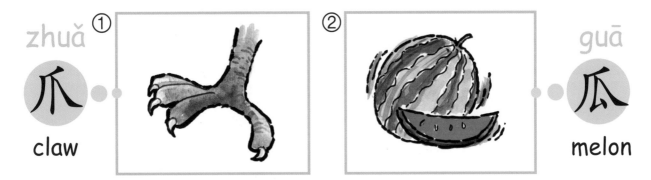 ② guā

爪 瓜

claw melon

3 Listen, clap and practise. 🎧27

cháng tuǐ wū guī bù hǎo kàn
長　腿烏龜不好看，

duǎn bó zi cháng jǐng lù zhēn nán kàn
短脖子長頸鹿真難看！

hé mǎ tóu xiǎo 　 xīng xing yǒu wěi
河馬頭小，猩猩有尾，

nǐ shuō hǎo kàn bù hǎo kàn
你説好看不好看？

4 Recite the times table on page 120.

yī qī dé qī 　　　　 qī qī sì shí jiǔ
一七得七，……七七四十九。
1×7=7　　　　　 7×7=49

5 Listen to the recording. Tick what is correct and cross what is incorrect. 🎧 28

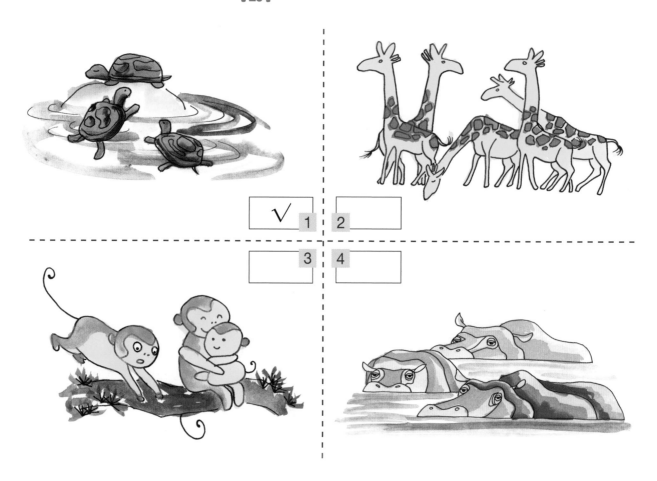

| √ 1 | 2 |
| 3 | 4 |

6 Game.

牠有四條腿。牠的眼睛圓圓的⋯⋯

INSTRUCTIONS:

1 The teacher prepares some cards with Chinese animal words on them.

2 Each student is given a card. The students take turns going up to the front to describe the animal.

3 The rest of the class guesses and says the animal name in Chinese.

7 Ask your classmates the questions.

nǐ cháng qù dòng wù yuán ma   nǐ cháng qù kàn shén me dòng wù
1) 你常去動物園嗎？你常去看什麼動物？

nǐ men jiā yǎng chǒng wù ma
2) 你們家養寵物嗎？

nǐ men jiā yǎng le shén me chǒng wù
3) 你們家養了什麼寵物？

nǐ xǐ huan huà dòng wù ma   nǐ xǐ huan huà shén me dòng wù
4) 你喜歡畫動物嗎？你喜歡畫什麼動物？

8 Project.

Design a zoo with the animals below. Introduce your zoo to the class.

mǎ   gǒu   māo   niǎo   shé
馬   狗   貓   鳥   蛇

wū guī   hóu zi   dà xiàng
烏龜   猴子   大象

hēi xióng   xióng māo   lǎo hǔ
黑熊   熊貓   老虎

yú   cháng jǐng lù   dà xīng xing
魚   長頸鹿   大猩猩

shī zi   hé mǎ   tù zi
獅子   河馬   兔子

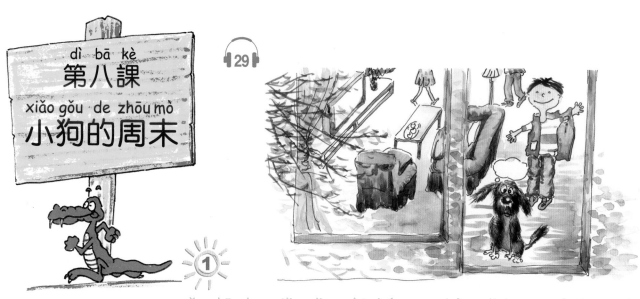

第八課
dì bā kè

小狗的周末
xiǎo gǒu de zhōu mò

wǒ zhī dao xiǎo gǒu wèi shén me bù xǐ huan guò zhōu mò
我知道小狗為什麼不喜歡過周末。

2
yīn wèi bà ba mā ma dài wǒ
因為爸爸、媽媽帶我
qù diàn yǐng yuàn kàn diàn yǐng
去電影院看電影，
xiǎo gǒu bù kě yǐ qù
小狗不可以去。

3
wǒ men qù chāo shì mǎi
我們去超市買
dōng xi xiǎo gǒu bù
東西，小狗不
kě yǐ qù
可以去。

4

wǒ men qù fàn diàn chī fàn　　xiǎo gǒu yě bù kě yǐ qù
我們去飯店吃飯，小狗也不可以去。

New words: 🎧30

wèi shén me
① 為什麼 why

zhōu
② 周 week

mò　　　　　zhōu mò
③ 末 end　周末 weekend

yīn　　　　　　　yīn wèi
④ 因 because　因為 because

yuàn
⑤ 院 a public place

diàn yǐng yuàn
電影院 cinema

chāo
⑥ 超 super

shì　　　　　　　chāo shì
⑦ 市 market　超市 supermarket

mǎi
⑧ 買 buy

dōng xi
⑨ 東西 stuff

diàn
⑩ 店 shop; store

fàn diàn
飯店 restaurant

① fàn diàn 飯店

② huā diàn 花店

③ gōng yuán 公園

④ yóu yǒng chí 游泳池

⑤ diàn yǐng yuàn 電影院

⑥ chǒng wù diàn 寵物店

⑦ jiā jù diàn 家具店

⑧ wán jù diàn 玩具店

⑨ cài shì chǎng 菜市場

⑩ dàn gāo diàn 蛋糕店

⑪ shuǐ guǒ diàn 水果店

⑫ dòng wù yuán 動物園

⑬ yǎn jìng diàn 眼鏡店

⑭ yī yuàn 醫院

⑮ xié diàn 鞋店

2 Learn the characters.

jīn

金

gold

chē

車

vehicle

3 Listen, clap and practise. 🎧31

xiǎo gǒu bú ài guò zhōu mò
小 狗 不 愛 過 周 末，

wǒ lái shuō shuo wèi shén me
我 來 説 説 為 什 麼：

tā bù kě yǐ qù chāo shì
牠 不 可 以 去 超 市，

bù kě yǐ qù diàn yǐng yuàn
不 可 以 去 電 影 院，

yě bù kě yǐ qù shāng diàn
也 不 可 以 去 商 店。

4 Recite the times table on page 120.

yī bā dé bā   bā bā liù shí sì
一 八 得 八， …… 八 八 六 十 四。
1 x 8 = 8   8 x 8 = 64

5 Listen to the recording. Tick what is correct and cross what is incorrect. 🎧 32

6 Game.

INSTRUCTIONS:

1 The teacher prepares some cards with Chinese words on them.

2 Each student gets a card and he has to walk around to find other students with matching words to form a sentence.

7 Make short conversations.

huā diàn
花店

EXAMPLE:

zài huā diàn   nǐ kě yǐ mǎi dào shén me
A: 在花店，你可以買到什麼？

kě yǐ mǎi dào huā
B: 可以買到花。

①

cài shì chǎng
菜市場

④

wén jù diàn
文具店

②

jiā jù diàn
家具店

⑤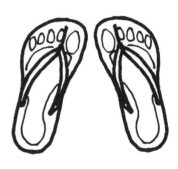

xié diàn
鞋店

③

dàn gāo diàn
蛋糕店

⑥

shuǐ guǒ diàn
水果店

8 Say in Chinese.

	**EXAMPLE:** zhí qū 直／曲

子　　女

去　　來

大　　小

多　　少

父　　母

左　　右

出　　入

9 Game.

你早飯吃什麼？

麵包和雞蛋。

10 Ask your classmates the questions.

1) 你今年幾歲了？你上幾年級？
nǐ jīn nián jǐ suì le   nǐ shàng jǐ nián jí

2) 你是哪國人？你會說什麼語言？
nǐ shì nǎ guó rén   nǐ huì shuō shén me yǔ yán

3) 你最喜歡哪個國家？
nǐ zuì xǐ huan nǎ ge guó jiā

4) 你喜歡唱歌嗎？你會拉小提琴嗎？
nǐ xǐ huan chàng gē ma   nǐ huì lā xiǎo tí qín ma

5) 周末你常常去哪兒玩兒？你常去動物園嗎？
zhōu mò nǐ cháng cháng qù nǎr wánr   nǐ cháng qù dòng wù yuán ma

6) 你家養寵物嗎？養了什麼寵物？
nǐ jiā yǎng chǒng wù ma   yǎng le shén me chǒng wù

7) 今天幾月幾號？今天星期幾？
jīn tiān jǐ yuè jǐ hào   jīn tiān xīng qī jǐ

8) 今天天氣好嗎？
jīn tiān tiān qì hǎo ma

11 Project.

Create your dream city and introduce it to the class.

dì jiǔ kè
第九課
wǒ jiā fù jìn
我家附近

 33

wǒ jiā fù jìn yǒu yī
我家附近有醫
yuàn wán jù diàn
院、玩具店、
biàn lì diàn ér tóng
便利店、兒童
fú zhuāng diàn huǒ chē
服裝店、火車
zhàn děng děng
站等等。

60

yóu lè yuán lí wǒ jiā bù yuǎn　wǒ xǐ huan qù nà li wánr
遊樂園離我家不遠。我喜歡去那裏玩兒。

New words: 🎧34

1 **附** fù nearby

2 **近** jìn near　**附近** fù jìn nearby

3 **醫院** yī yuàn hospital

4 **便** biàn handy

5 **利** lì convenient
　便利店 biàn lì diàn convenient shop

6 **站** zhàn station

7 **火車** huǒ chē train　**火車站** huǒ chē zhàn train station

8 **童** tóng child　**兒童** ér tóng children

9 **裝** zhuāng clothes　**服裝** fú zhuāng clothes

10 **玩具** wán jù toy

11 **遊樂園** yóu lè yuán amusement park

12 **離** lí away (from)

13 **遠** yuǎn far

1 Say in Chinese.

① kuài cān diàn 快餐店

② diàn yǐng yuàn 電影院

③ wén jù diàn 文具店

④ dòng wù yuán 動物園

⑤ yóu lè yuán 遊樂園

⑥ shuǐ guǒ diàn 水果店

⑦ chāo shì 超市

⑧ gōng gòng qì chē zhàn 公共汽車站

⑨ shū diàn 書店

⑩ fàn diàn 飯店

⑪ xué xiào 學校

⑫ biàn lì diàn 便利店

⑬ yī yuàn 醫院

⑭ ér tóng fú zhuāng diàn 兒童服裝店

⑮ huǒ chē zhàn 火車站

2 Learn the characters.

fāng ①

方

square

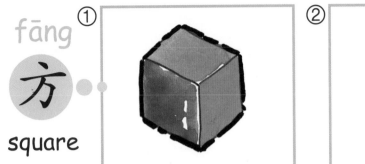

②

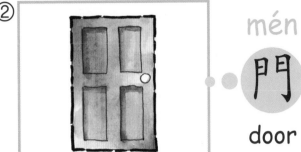

mén

門

door

3 Game.

EXAMPLE:

pí xié

皮鞋

INSTRUCTIONS:

1 The class is divided into small groups.

2 Each group is asked to add one character to form a word. The students may write pinyin if they cannot write characters.

3 The group making more correct words than any other groups wins the game.

4 Listen, clap and practise. 🎧35

wǒ jiā fù jìn yǒu yī yuàn

我家附近有醫院，

yǒu wán jù diàn   biàn lì diàn

有玩具店、便利店，

yǒu fú zhuāng diàn   yóu lè yuán

有服裝店、遊樂園，

huǒ chē zhàn yě bù yuǎn

火車站也不遠。

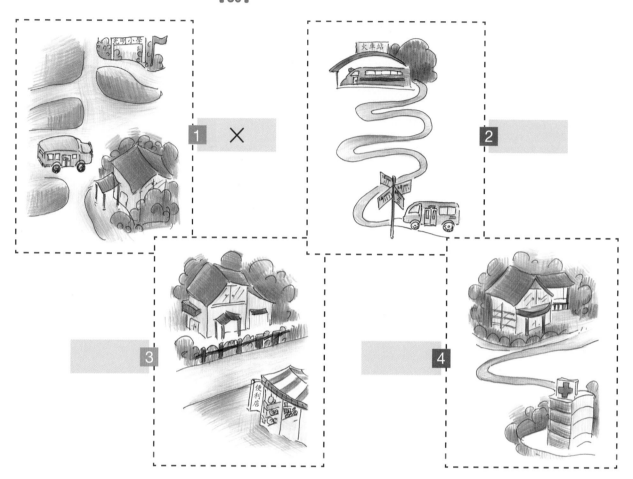

6 Say a few sentences about yourself. Try to use the phrases in the box.

EXAMPLE:

wǒ zuì xǐ huan qù wán jù diàn mǎi
我最喜歡去玩具店買

wán jù wǒ xǐ huan qù kuài cān diàn chī
玩具。我喜歡去快餐店吃

hàn bǎo bāo shǔ tiáo děng
漢堡包、薯條等……

Phrases:

zuì xǐ huan
a) 最喜歡

bú tài xǐ huan
d) 不太喜歡

hěn xǐ huan
b) 很喜歡

bù xǐ huan
e) 不喜歡

xǐ huan
c) 喜歡

zuì bù xǐ huan
f) 最不喜歡

7 Ask your classmates the questions.

nǐ jiā fù jìn yǒu yóu lè yuán ma

1) 你家附近有遊樂園嗎？

nǐ cháng cháng qù chāo shì ma　　qù mǎi shén me

2) 你常常去超市嗎？去買什麼？

nǐ cháng cháng qù wán jù diàn ma　　qù mǎi shén me wán jù

3) 你常常去玩具店嗎？去買什麼玩具？

nǐ cháng cháng qù shū diàn ma　　qù mǎi shén me shū

4) 你常常去書店嗎？去買什麼書？

nǐ jiā lí nǐ xué xiào jìn ma

5) 你家離你學校近嗎？

8 Project.

Draw the place where you live and its surroundings.
Describe it to the class.

9 Recite the times table on page 120.

yī jiǔ dé jiǔ　　　jiǔ jiǔ bā shí yī
一九得九，……九九八十一。
1x9=9　　　　9x9=81

dì shí kè
第十課
wǒ zhǎng dà hòu
我長大後

1 mèi mei shuō
妹妹説：

wǒ bù xǐ huan dài fu　　　tā zǒng shì gěi wǒ yào chī
"我不喜歡大夫。他總是給我藥吃。

wǒ zhǎng dà yǐ hòu bú zuò dài fu
我長大以後不做大夫。"

2

wǒ bù xǐ huan hù shi
"我不喜歡護士。

tā zǒng shì gěi wǒ dǎ zhēn
她總是給我打針。

wǒ zhǎng dà yǐ hòu bú zuò
我長大以後不做

hù shi
護士。"

66

③

wǒ xǐ huan sī jī
"我喜歡司機。
tā zǒng shì gěi wǒ kāi
他總是給我開
chē　　wǒ zhǎng dà　yǐ
車。我長大以
hòuxiǎng zuò sī jī
後想做司機。"

wǒ xǐ huan fú wù yuán　　tā zǒng shì gěi wǒ táng chī
④"我喜歡服務員。她總是給我糖吃。
wǒ zhǎng dà yǐ hòuxiǎng zuò fú wù yuán
我長大以後想做服務員。"

dài fu
❶ 大夫 doctor

zǒng   zǒng shì
❷ 總 always   總是 always

gěi
❸ 給 give; for

yào
❹ 藥 medicine

zhǎng   zhǎng dà
❺ 長 grow   長大 grow up

yǐ hòu
❻ 以後 after

hù
❼ 護 protect; guard

hù shi
護士 nurse

zhēn
❽ 針 injection

dǎ zhēn
打針 give or have an injection

sī jī
❾ 司機 driver

kāi chē
❿ 開車 drive

fú wù
⓫ 服務 service

yuán
⓬ 員 person engaged in a certain field of activity

fú wù yuán
服務員 attendant

1 Look, read and match.

lǎo shī	dài fu	xué shēng	hù shi
3 a) 老師	☐ b) 大夫	☐ c) 學生	☐ d) 護士

bìng rén	sī jī	chú shī	fú wù yuán
☐ e) 病人	☐ f) 司機	☐ g) 廚師	☐ h) 服務員

2 Group work: add a part to complete each character and write its meaning.

1)  吃 eat

2)  宀

3)  父

4)  禾

5)  人

6)  士

7)  欠

8) 頁

9) 糸

3 Learn the characters.

ér
①
兒
child

②
chā
叉
fork

4 Say the numbers according to the patterns.

1) 二、四、 .... 二十
   èr sì   èr shí

2) 三、五、 .... 二十一
   sān wǔ   èr shí yī

3) 九十九、九十八、 .... 七十
   jiǔ shí jiǔ jiǔ shí bā   qī shí

4) 六十、五十九、 .... 四十
   liù shí wǔ shí jiǔ   sì shí

69

5 Listen, clap and practise. 🎧39

nǐ zhǎng dà yǐ hòu zuò shén me
你長大以後做什麼？

wǒ xiǎng zuò dài fu
我想做大夫，

yě xiǎng zuò lǎo shī
也想做老師，

zuò hù shi　　zuò sī jī
做護士，做司機，

wǒ hái xiǎng zuò fú wù yuán
我還想做服務員。

6 Listen to the recording. Tick what is correct and cross what is incorrect. 🎧40

7 Game.

Group 1

Group 2

INSTRUCTIONS:

1 The class is divided into small groups.

2 Each group is asked to write characters.

3 The group writing more correct characters than any other groups wins the game.

8 Ask your classmates the question.

nǐ zhǎng dà yǐ hòu xiǎng zuò shén me gōng zuò
你 長 大 以 後 想 做 什 麼 工 作?

wǒ xiǎng zuò
我 想 做……

Extra words:

a 經理 manager
jīng lǐ

b 工 程 師 engineer
gōng chéng shī

c 建 築 師 architect
jiàn zhù shī

d 演 員 actor
yǎn yuán

e 警 察 police
jǐng chá

f 律 師 lawyer
lǜ shī

g 銀 行 家 banker
yín háng jiā

h 飛 行 員 pilot
fēi xíng yuán

Report back to the class:

wǔ ge xué shēng xiǎng zuò
五 個 學 生 想 做

yī shēng   liù ge xué
醫 生。六 個 學

shēng xiǎng
生 想……

9 Say in Chinese.

nǎi nai ① 奶奶　　② yé ye 爺爺　　wài gōng 外公 ③　　④ wài pó 外婆

⑤　　⑥　　bà ba 爸爸　　mā ma 媽媽　　⑦　　⑧

gū gu 姑姑　　shū shu 叔叔　　　　　　jiù jiu 舅舅　　ā yí 阿姨

IT IS YOUR TURN!　Draw your family tree and introduce each family member to the class.

10 Ask your classmates the questions.

nǐ zǎo shang yì bān jǐ diǎn qǐ chuáng
1) 你早上一般幾點起 牀?

nǐ měi tiān zěn me shàng xué
2) 你每天怎麼上學?

nǐ wǔ fàn yì bān chī shén me
3) 你午飯一般吃什麼?

nǐ men jiā wǎn fàn yì bān chī shén me
4) 你們家晚飯一般吃什麼?

nǐ zhǎng dà yǐ hòu xiǎng zuò shén me gōng zuò
5) 你長大以後想做什麼工作?

11 Say one sentence for each picture.

醫生

EXAMPLE:

yī shēng zài   yī yuàn gōng zuò
醫 生 在 醫 院 工 作 。

①

服務員

②

老師

③

司機

④

護士

⑤

廚師

⑥

工人

12 Project.

Draw two things you would like to invent. Tell the class
about your inventions.

第十一課
媽媽做的菜

🔆1 我媽媽不會做飯。

🔆2 她今天做了一個菜。

🔆3 裏面有菜花、西蘭花、芹菜、蘑菇、西紅柿、土豆、青菜和辣椒。

wǒ wèn mā ma zhè shì shén
我 問 媽 媽 ：" 這 是 什
me cài tài nán chī le
麼 菜 ? 太 難 吃 了 ！"

New words: 🎧42

1 zuò fàn
做飯 cook

2 cài
菜 dish

3 lǐ miàn
裏面 inside

4 huā
花 flower cài huā
菜花 cauliflower

5 xī lán huā
西蘭花 broccoli

6 qín
芹 celery qín cài
芹菜 celery

7 gū
菇 mushroom mó gu
蘑菇 mushroom

8 shì
柿 persimmon xī hóng shì
西紅柿 tomato

9 tǔ dòu
土豆 potato

10 qīng
青 green qīng cài
青菜 green vegetables

11 là
辣 hot; spicy

12 jiāo
椒 any of hot spice plants

 là jiāo
辣椒 chilli; pepper

13 nán
難 unpleasant; not good

1 Look, read and match.

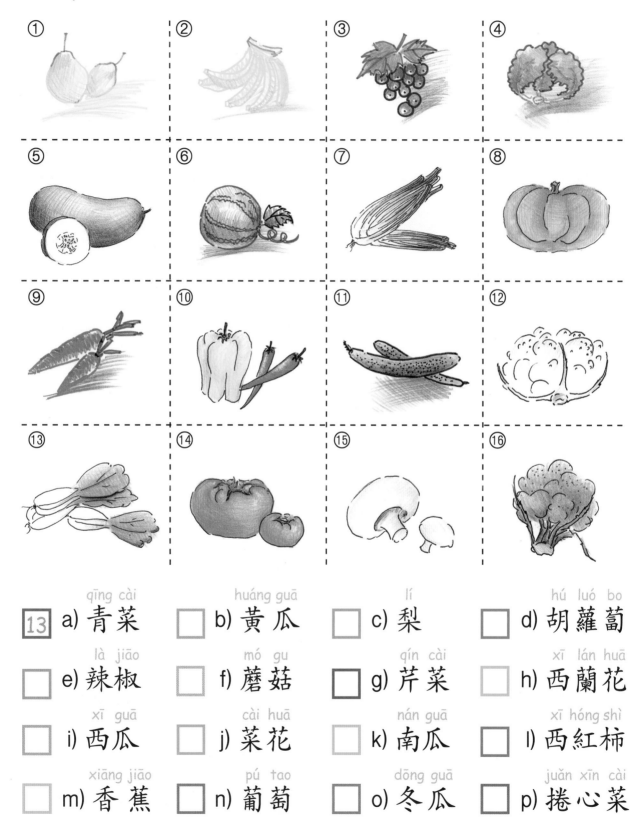

① ② ③ ④

⑤ ⑥ ⑦ ⑧

⑨ ⑩ ⑪ ⑫

⑬ ⑭ ⑮ ⑯

qīng cài
[13] a) 青菜

huáng guā
☐ b) 黃瓜

lí
☐ c) 梨

hú luó bo
☐ d) 胡蘿蔔

là jiāo
☐ e) 辣椒

mó gu
☐ f) 蘑菇

qín cài
☐ g) 芹菜

xī lán huā
☐ h) 西蘭花

xī guā
☐ i) 西瓜

cài huā
☐ j) 菜花

nán guā
☐ k) 南瓜

xī hóng shì
☐ l) 西紅柿

xiāng jiāo
☐ m) 香蕉

pú tao
☐ n) 葡萄

dōng guā
☐ o) 冬瓜

juǎn xīn cài
☐ p) 捲心菜

76

2 Learn the characters.

níu
牛
ox

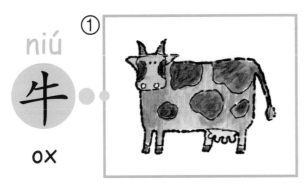

① ②

yáng
羊
sheep

3 Listen, clap and practise. 43

<ruby>今<rt>jīn</rt></ruby><ruby>天<rt>tiān</rt></ruby><ruby>星<rt>xīng</rt></ruby><ruby>期<rt>qī</rt></ruby><ruby>日<rt>rì</rt></ruby>，<ruby>媽<rt>mā</rt></ruby><ruby>媽<rt>ma</rt></ruby><ruby>來<rt>lái</rt></ruby><ruby>做<rt>zuò</rt></ruby><ruby>菜<rt>cài</rt></ruby>。

jīn tiān xīng qī rì　mā ma lái zuò cài
今天星期日，媽媽來做菜。

qīng cài　qín cài chǎo tǔ dòu
青菜、芹菜炒土豆，

là jiāo　cài huā chǎo mó gu
辣椒、菜花炒蘑菇，

xī lán huā chǎo xī hóng shì
西蘭花炒西紅柿，

nán chī　nán chī　zhēn nán chī
難吃，難吃，真難吃！

4 Say in Chinese.

EXAMPLE: Saturday, January 10, 2015

èr líng yī wǔ nián　yī yuè shí hào　xīng qī liù
二〇一五年　一月十號　星期六

1) February 15, 2016

2) Monday, July 8

3) December 25, 2017

4) Friday, September 5

5 Listen to the recording. Tick what is correct and cross what is incorrect. 🎧44

6 Ask your classmates the questions.

shén me dōng xi hěn nán kàn   shén me dōng xi hěn hǎo kàn
1) 什麼東西很難看？什麼東西很好看？

shén me dōng xi hěn nán chī   shén me dōng xi hěn hǎo chī
2) 什麼東西很難吃？什麼東西很好吃？

shén me dōng xi hěn nán hē   shén me dōng xi hěn hǎo hē
3) 什麼東西很難喝？什麼東西很好喝？

7 Project.

Create three new kinds of plant by combining one vegetable with one fruit. Name each of your inventions.

8 Game.

INSTRUCTIONS:

1 The class is divided into small groups.

2 Each group is asked to write radicals.

3 The group writing more correct radicals than any other groups wins the game.

9 Make short conversations.

EXAMPLE:

zuò shuǐ guǒ shā lā　yào yòng shén me
A: 做水果沙拉要用什麼？

yào yòng píng guǒ　　lí　　jú zi
B: 要用蘋果、梨、橘子、

xiāng jiāo hé cǎo méi
香蕉和草莓。

Tasks:

shū cài shā lā
1) 蔬菜沙拉

qiǎo kè lì dàn gāo
2) 巧克力蛋糕

rè gǒu
3) 熱狗

hàn bǎo bāo
4) 漢堡包

bǐ sà bǐng
5) 比薩餅

huǒ tuǐ nǎi lào sān míng zhì
6) 火腿奶酪三明治

10 Answer the questions.

nǐ wài gōng xǐ huan chī shén me
1) 你外公喜歡吃什麼？

tā bù xǐ huan chī shén me
2) 他不喜歡吃什麼？

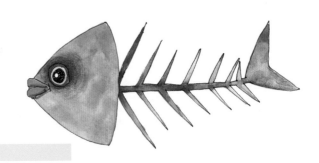

dì shí èr kè
第十二課
zhōng cān hěn hǎo chī
中餐很好吃

běi jīng kǎo yā hěn hǎo chī
1 北京烤鴨很好吃!

bái cài zhū ròu jiǎo zi
2 白菜豬肉餃子
hěn hǎo chī
很好吃!

3
cài ròu hún tun hěn hǎo chī
菜肉餛飩很好吃!

4

zòng zi yě hěn hǎo chī　　tiān
粽子也很好吃！天

yī wèn mā ma　　　zòng zi
一問媽媽："粽子

lǐ miàn yǒu shén me
裏面有什麼？"

mā ma shuō　　　lǐ miàn yǒu
5 媽媽說："裏面有

hóng dòu shā
紅豆沙。"

New words: 🎧46

1 kǎo 烤　bake; roast

2 yā 鴨　duck　　kǎo yā 烤鴨　roast duck

3 hǎo chī 好吃　delicious

4 bái cài 白菜　Chinese cabbage

5 jiǎo 餃　dumpling　　jiǎo zi 餃子　dumpling

6 hún tun 餛飩　wonton

7 zòng zi 粽子　pyramid-shaped dumpling made of glutinous rice wrapped in reed leaves

8 hóng dòu shā 紅豆沙　sweatened red-bean paste

1 Look, read and match.

xiāng cháng	chǎo fàn	niú pái	jī dàn
10 a) 香腸	b) 炒飯	c) 牛排	d) 雞蛋
shǔ piàn	jiǎo zi	shǔ tiáo	zòng zi
e) 薯片	f) 餃子	g) 薯條	h) 粽子
hún tun	jī tāng	bái cài	bǐng gān
i) 餛飩	j) 雞湯	k) 白菜	l) 餅乾
miàn bāo	suān nǎi	niú nǎi	běi jīng kǎo yā
m) 麵包	n) 酸奶	o) 牛奶	p) 北京烤鴨

2 Learn the characters.

mǐ

米

rice

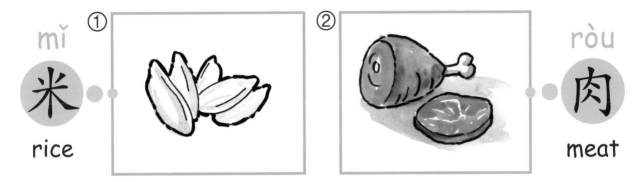

① ②

ròu

肉

meat

3 Listen, clap and practise. 🎧47

wǒ men dōu ài chī kǎo yā
我們都愛吃烤鴨,

hái hěn xǐ huan chī jiǎo zi
還很喜歡吃餃子。

cài ròu hún tun yě hǎo chī
菜肉餛飩也好吃。

chī wán hún tun chī zòng zi
吃完餛飩吃粽子。

4 Ask your classmates the questions.

nǐ zǎo shang yì bān jǐ diǎn qǐ chuáng　　nǐ měi tiān dōu chī zǎo fàn ma
1) 你早上一般幾點起牀?　你每天都吃早飯嗎?

nǐ zǎo fàn yì bān chī shén me
你早飯一般吃什麼?

nǐ wǔ fàn yì bān chī shén me　　nǐ wǎn fàn yì bān chī shén me
2) 你午飯一般吃什麼?　你晚飯一般吃什麼?

nǐ wǎn shang yì bān jǐ diǎn shuì jiào
3) 你晚上一般幾點睡覺?

5 Say one sentence about each picture.

EXAMPLE:

巧克力在……

qiǎo kè lì zài tiě hé zi
巧克力在鐵盒子
lǐ miàn
裏面。

Useful words:

shàng miàn
ⓐ 上 面

xià miàn
ⓑ 下 面

lǐ miàn
ⓒ 裏面

wài miàn
ⓓ 外面

qián miàn
ⓔ 前面

hòu miàn
ⓕ 後面

zuǒ bian
ⓖ 左邊

yòu bian
ⓗ 右邊

1

小狗在……

2

課本在……

3

他在……

4

蘋果在……

5

小貓在……

6

皮球在……

7

衣櫃在……

6 Listen to the recording. Tick what is correct and cross what is incorrect. 🎧48

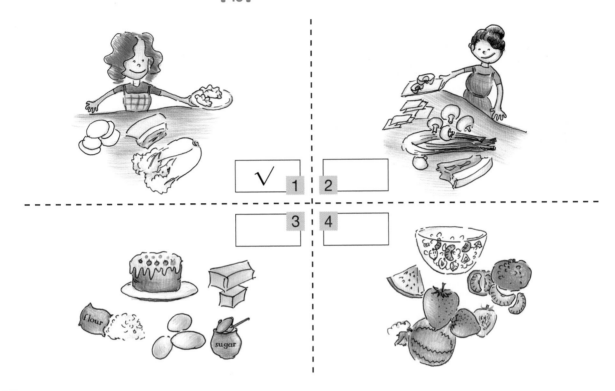

| √ 1 | 2 |
| 3 | 4 |

7 Ask your classmates the questions.

1) 你吃過餃子嗎？你喜歡吃餃子嗎？
   nǐ chī guo jiǎo zi ma   nǐ xǐ huan chī jiǎo zi ma

2) 你吃過餛飩嗎？你喜歡吃餛飩嗎？
   nǐ chī guo hún tun ma   nǐ xǐ huan chī hún tun ma

3) 你吃過粽子嗎？你喜歡吃粽子嗎？
   nǐ chī guo zòng zi ma   nǐ xǐ huan chī zòng zi ma

4) 你喜歡吃西餐嗎？你喜歡吃什麼西餐？
   nǐ xǐ huan chī xī cān ma   nǐ xǐ huan chī shén me xī cān

5) 你喜歡吃什麼水果？你喜歡吃什麼蔬菜？
   nǐ xǐ huan chī shén me shuǐ guǒ   nǐ xǐ huan chī shén me shū cài

8 Game.

INSTRUCTIONS:

1 One student guesses the food his classmate likes to eat.

2 His classmate says either "correct" or "incorrect".

9 Group work: write a word and its meaning for each radical.

1) 烤 bake; roast

2) 食 _____

3) 父 _____

4) 木 _____

5) 艹 _____

6) 士 _____

7) 糸 _____

8) 月 _____

9) 立 _____

10 Say in Chinese.

xià wǔ liǎng diǎn èr shí fēn
EXAMPLE: 14:20 →下午兩點二十分

1 7:30 → _____

2 10:05 → _____

3 12:45 → _____

4 15:50 → _____

5 21:15 → _____

6 8:00 → _____

86

11 Draw a picture according to the description below. Add more things if you would like to and colour in the picture.

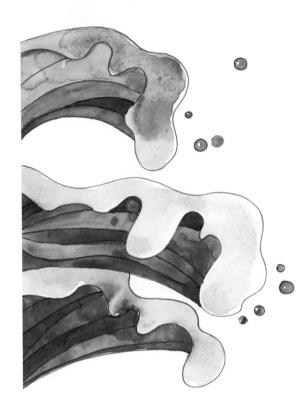

lán lán de dà hǎi　　hóng hóng de
藍藍的大海、紅紅的

tài yáng　　bái sè de shā tān　　lǜ sè
太陽、白色的沙灘、綠色

de xiǎo shān　　qīng qīng de cǎo dì　　lǜ
的小山、青青的草地、綠

lǜ de shù　　zōng sè de xiǎo wū　　huáng
綠的樹、棕色的小屋、黄

sè de xiǎo jī
色的小雞……

12 Project.

Draw the favourite food your mother often cooks for you.
Introduce it to the class.

第十三課
dì shí sān kè
我渴了
wǒ kě le

1

wǒ kě le　　wǒ yào hē shuǐ
我渴了！我要喝水。

2

wǒ hē wán le
我喝完了！
wǒ yào qù cè suǒ
我要 去廁所。

3

wǒ è le　　wǒ yào chī fàn
我餓了！我要吃飯。

④

wǒ bǎo le   wǒ bù chī le

我飽了！我不吃了。

⑤
wǒ yào chū qù wánr
我要出去玩兒。

New words: 🎧50

kě
① 渴 thirsty

wán
② 完 finish

è
③ 餓 hungry

bǎo
④ 飽 be full

1 Look, read and match.

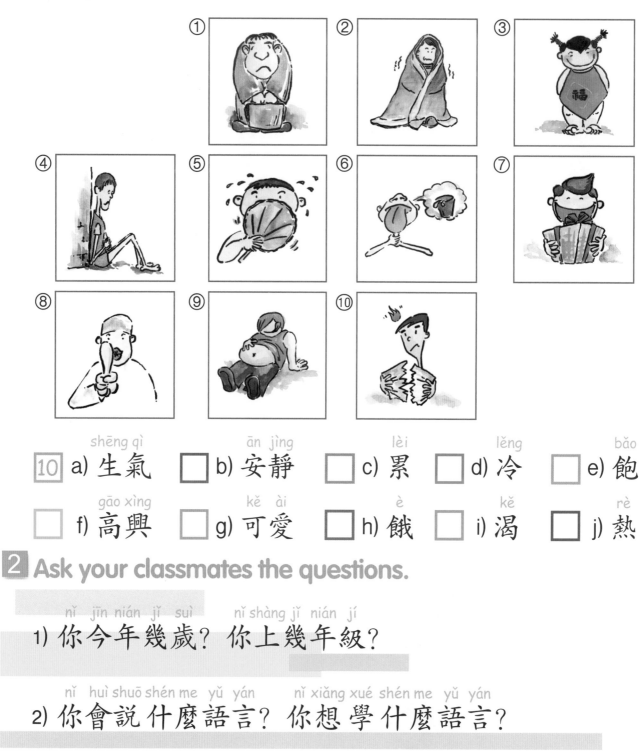

①	②	③
④	⑤	⑥	⑦
⑧	⑨	⑩

10 a) shēng qì 生氣   □ b) ān jìng 安靜   □ c) lèi 累   □ d) lěng 冷   □ e) bǎo 飽

□ f) gāo xìng 高興   □ g) kě ài 可愛   □ h) è 餓   □ i) kě 渴   □ j) rè 熱

2 Ask your classmates the questions.

1) nǐ jīn nián jǐ suì 你今年幾歲? nǐ shàng jǐ nián jí 你上幾年級?

2) nǐ huì shuō shén me yǔ yán 你會說什麼語言? nǐ xiǎng xué shén me yǔ yán 你想學什麼語言?

3) nǐ xǐ huan shàng shén me kè 你喜歡上什麼課? nǐ bù xǐ huan shàng shén me kè 你不喜歡上什麼課?

3 Learn the characters.

yú

魚

fish

①

②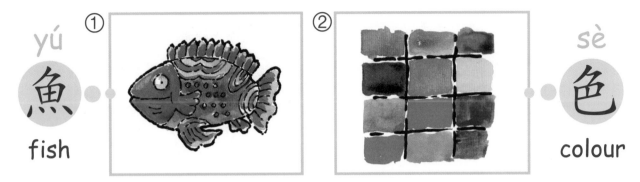

sè

色

colour

4 Listen, clap and practise. 🎧51

kě le   yào hē shuǐ
渴了，要喝水；
è le   yào chī fàn
餓了，要吃飯；
bǎo le   fàng xia wǎn
飽了，放下碗；
chī wán   chū qù wánr
吃完，出去玩兒。

5 Recite the times table on page 120.

yī liù dé liù   liù liù sān shí liù
一六得六 ，……六六三十六。
1 x 6 = 6   6 x 6 = 36

6 Say in Chinese.

① 船

② 汽車

③ 地鐵

④ 校車

⑤ 飛機

⑥ 小巴

⑦ 電車

⑧ 火車

⑨ 出租車

⑩ 公共汽車

⑪ 走路

⑫ 自行車

7 Game.

INSTRUCTIONS:

1 The whole class may join the game.

2 One student comes to the front and imitates an animal. The rest of the class guess what the animal is.

8 Say in Chinese.

EXAMPLE: 刀 (dāo)

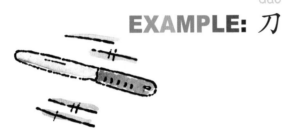

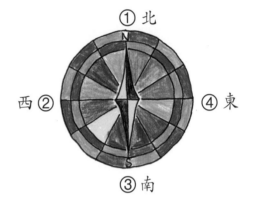

① 北
西 ② ④ 東
③ 南

⑤  氣

⑥  半

⑦  蟲

⑧ 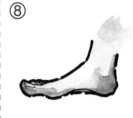 足

⑨  見

⑩  頭

⑪ 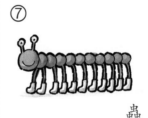 手

⑫  走

⑬  自己

⑭  直

⑮  曲

⑯  飛

93

9 Colour in the picture and describe it in Chinese.

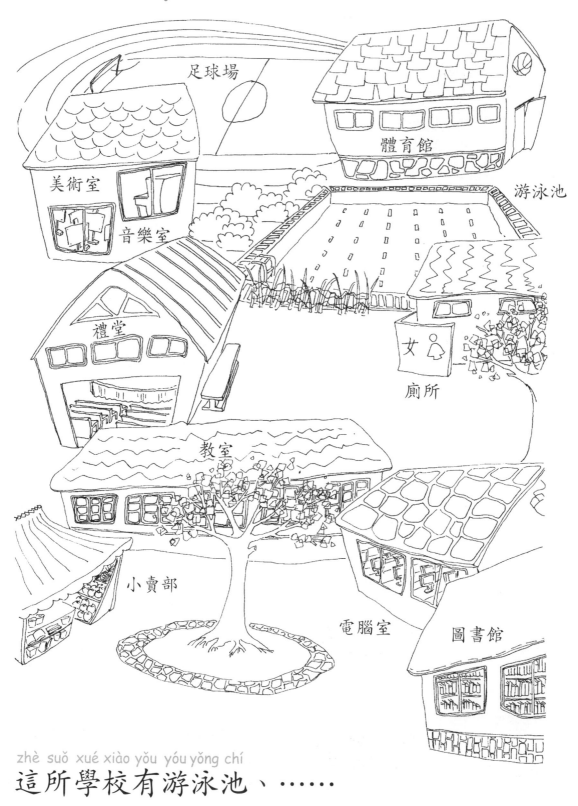

足球場

體育館

美術室

音樂室

游泳池

禮堂

女

廁所

教室

小賣部

電腦室

圖書館

zhè suǒ xué xiào yǒu yóu yǒng chí
這所學校有游泳池、⋯⋯

10 Listen to the recording. Tick what is correct and cross what is incorrect. 52

1 ×

2

3

4

11 Group work: write a word and its meaning for each radical.

1) 渴 thirsty ____

2) 食 ____

3) 宀 ____

4) 火 ____

5) 艹 ____

6) 金 ____

7) 言 ____

8) 心 ____

9) 亻 ____

12 Project.

Create a story between an elephant and a monkey and draw a series of pictures to illustrate it. Tell the story to the class.

dì shí sì kè
第十四課
máo mao chóng
毛毛蟲

wài miàn tài rè le
外面太熱了！

máo mao chóng cóng shù shang pá dao le yáng tái shang
☀ **1** 毛毛蟲從樹上爬到了陽台上。

zhè li yě hěn rè
這裏也很熱！

zhè li bù liáng kuai
這裏不涼快！

tā pá shang le shū jià
☀ **2** 牠爬上了書架。

tā pá shang le bīng xiāng
☀ **3** 牠爬上了冰箱。

這裏太冷了！

⑤ 牠又爬到了地上。

④ 牠爬進了空調。

⑥ 小雞看到毛毛
蟲，想吃牠。

⑦ 毛毛蟲説：“別
吃我。我身上有
毛，不好吃！”

wài miàn
❶ 外面 outside

máo mao chóng
❷ 毛毛蟲 catepillar

cóng
❸ 從 from

pá
❹ 爬 crawl

dào
❺ 到 to

yáng
❻ 陽 sun

tái
❼ 台 platform

yáng tái
陽台 balcony

jià
❽ 架 shelf

shū jià
書架 bookshelf

xiāng
❾ 箱 box

bīng xiāng
冰箱 refrigerator

liáng kuai
❿ 涼快 nice and cool

kōng tiáo
⓫ 空調 air-conditioner

1 Listen, clap and practise. 🎧55

máo mao chóng　　zhēn pà　rè
毛毛蟲，真怕熱！

pá shang yáng tái　　　zài shàng shū jià
爬上陽台，再上書架。

pá shang bīng xiāng　　yòu jìn kōng tiáo
爬上冰箱，又進空調。

xiǎo　jī　kàn jian máo mao chóng
小雞看見毛毛蟲，

yì　xīn xiǎng bǎ　tā chī diào
一心想把牠吃掉！

2 Look, read and match.

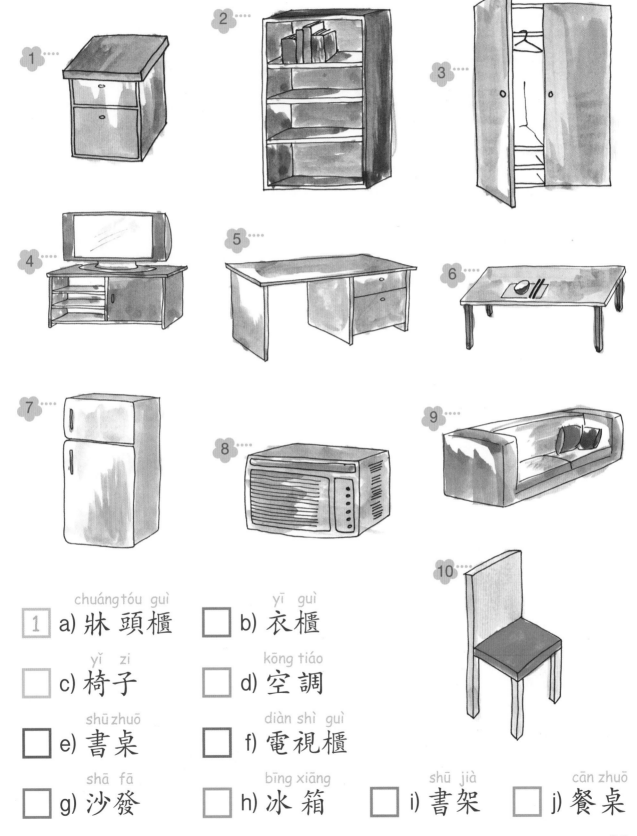

1 a) chuángtóu guì 牀頭櫃

b) yī guì 衣櫃

c) yǐ zi 椅子

d) kōng tiáo 空調

e) shū zhuō 書桌

f) diàn shì guì 電視櫃

g) shā fā 沙發

h) bīng xiāng 冰箱

i) shū jià 書架

j) cān zhuō 餐桌

3 Learn the characters.

zhōu
①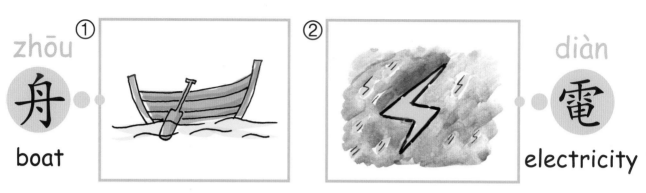
舟
boat

②
diàn
電
electricity

4 Listen to the recording. Tick what is correct and cross what is incorrect. 🎧56

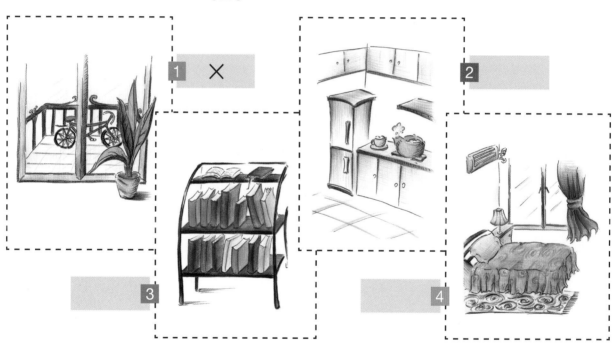

1 ×

2

3

4

5 Recite the times table on page 120.

yī qī dé qī   qī qī sì shí jiǔ
一七得七，……七七四十九。
1x7=7   7x7=49

100

6 Describe the picture in Chinese.

wǒ de fáng jiān li yǒu xiǎo gǒu hái yǒu chuáng
我的房間裏有小狗，還有牀、……

IT IS YOUR TURN! Draw a picture which includes everything listed in the box.

xiǎo hé   xiǎo shān   huā yuán   shù   huār   cǎo   yóu yǒng chí
小河、小山、花園（樹、花兒、草）、游泳池

fáng zi   mén   chuāng   kè tīng   wò shì   chú fáng   yù shì
房子（門、窗）、客廳、卧室、廚房、浴室

7 Look, read and match.

gěi
9 a) 給

tiào
☐ b) 跳

zǒu
☐ c) 走

huà
☐ d) 畫

xiě
☐ e) 寫

kàn
☐ f) 看

pá
☐ g) 爬

pāi
☐ h) 拍

xǐ
☐ i) 洗

xiào
☐ j) 笑

kū
☐ k) 哭

8 Project.

Create a story between a lion and a cat and draw a series of pictures to illustrate it. Tell the story to the class.

9 Look, read and match.

<table>
<tr><td>6</td><td>a)</td><td>別進去。爸爸在睡覺。</td></tr>
</table>

bié jìn qu　　bà ba zài shuì jiào

6 a) 別進去。爸爸在睡覺。

bié chī le　　nǐ chī le yí ge dàn gāo le

☐ b) 別吃了。你吃了一個蛋糕了。

bié xiě le　　rèn zhēn tīng

☐ c) 別寫了。認真聽。

bié mǎi le　　nǐ mǎi le shí běn shū le

☐ d) 別買了。你買了十本書了。

bié tīng le　　kuài zuò zuò yè

☐ e) 別聽了。快做作業！

bié kàn le　　kuài qù shuì jiào

☐ f) 別看了。快去睡覺！

IT IS YOUR TURN!　Make a sentence starting with "別" …

dì shí wǔ kè
第十五課

dì di de fáng jiān
弟弟的房間

1 xiǎo dì di de fáng jiān tài luàn le
小弟弟的房間太亂了！

2 shǒu biǎo zài huā píng li
手錶在花瓶裏。

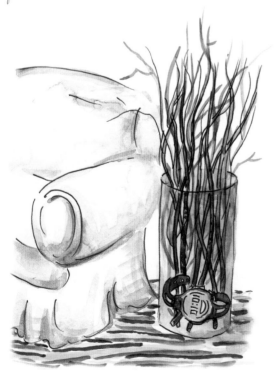

3 nào zhōng zài nuǎn qì shang
鬧鐘在暖氣上！

④ *xiàng kuàng zài tái dēng xia*
相 框 在 台 燈 下！

⑤ *xiǎo dì di zài nǎr*
小 弟 弟 在 哪兒？

tā zài chuáng dǐ xia
他 在 牀 底 下！

New words: 🎧58

1. *luàn*
   亂 messy

2. *biǎo*
   錶 watch   *shǒu biǎo* 手 錶 watch

3. *píng*
   瓶 bottle   *huā píng* 花 瓶 vase

4. *nào*
   鬧 noisy

5. *zhōng*
   鐘 clock   *nào zhōng* 鬧 鐘 alarm clock

6. *nuǎn*
   暖 warm   *nuǎn qì* 暖 氣 heating

7. *xiàng*
   相 picture

8. *kuàng*
   框 frame   *xiàng kuàng* 相 框 photo frame

9. *tái dēng*
   台 燈 desk lamp

10. *dǐ*
    底 bottom   *dǐ xia* 底 下 under

1 Look, read and match.

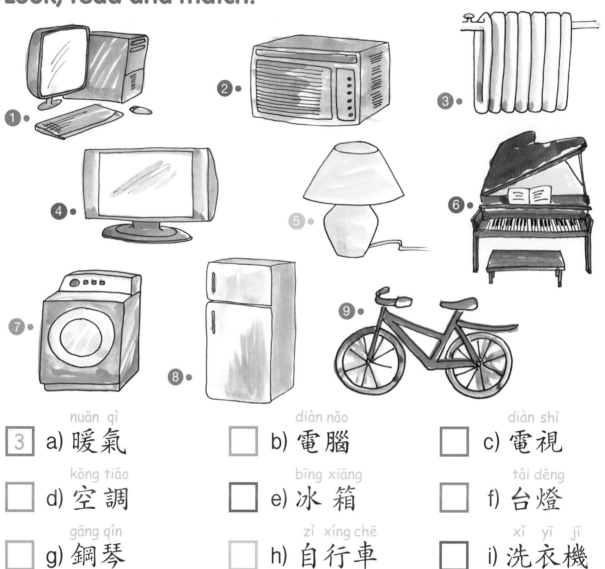

nuǎn qì 3 a) 暖氣	diàn nǎo □ b) 電腦	diàn shì □ c) 電視
kōng tiáo □ d) 空調	bīng xiāng □ e) 冰箱	tái dēng □ f) 台燈
gāng qín □ g) 鋼琴	zì xíng chē □ h) 自行車	xǐ yī jī □ i) 洗衣機

2 Recite the times table on page 120.

yī bā dé bā ，……八八六十四。
1×8＝8   8×8＝64

3 Learn the characters.

jiǎo ①

角

horn

②

fà

髮

hair

4 Listen, clap and practise.  59

dì di de fáng jiān kě zhēn luàn
弟弟的房間可真亂!

shǒu biǎo zài huā píng li
手錶在花瓶裏。

nào zhōng zài nuǎn qì shang
鬧鐘在暖氣上。

xiàng kuàng zài tái dēng xia
相框在台燈下。

xiǎo dì di zài nǎr　　tā zài chuáng dǐ xia
小弟弟在哪兒? 他在牀底下!

5 Group work: make a question using each of the words in the box.

nǐ nǎi nai zhù zài nǎr
EXAMPLE: 你奶奶住在哪兒?

Question words/particles:

shén me	nǎr	shéi
1) 什麼	2) 哪兒	3) 誰

zěn me	nǎ	ma
4) 怎麼	5) 哪	6) 嗎

ne	duō shao	
7) 呢	8) 多少	

6 Read the sentences, draw pictures and colour them in.

1

hàn yǔ kè běn zài cān zhuō shang
漢語課本在餐桌上。

2

chuáng zài yī guì de qián miàn
牀在衣櫃的前面。

3

bà ba zài dì di de zuǒ bian
爸爸在弟弟的左邊。

4

shǒu biǎo zài huā píng li
手錶在花瓶裏。

5

qiān bǐ zài xiàng kuàng de xià miàn
鉛筆在相框的下面。

6

zì xíng chē zài shā fā de hòu miàn
自行車在沙發的後面。

7

mā ma zài mèi mei de yòu bian
媽媽在妹妹的右邊。

8

xiǎo gǒu zài fáng zi wài miàn
小狗在房子外面。

7 Listen to the recording. Tick what is correct and cross what is incorrect. 🎧 60

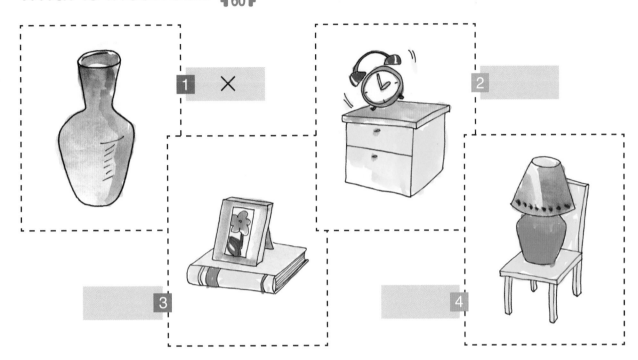

1 ✕

2

3

4

8 Learn the new measure words.

1) yì zhī qiān bǐ
一支鉛筆

5) yí kuài dàn gāo
一塊蛋糕

2) yì shuāng pí xié
一雙皮鞋

6) yì pán chǎo miàn
一盤炒麵

3) yí guàn kě lè
一罐可樂

7) yí jiàn máo yī
一件毛衣

4) yì tiáo niú zǎi kù
一條牛仔褲

8) yì gēn huáng guā
一根黃瓜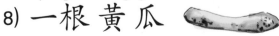

9 Look, read and match.

shǒu biǎo
2 a) 手錶

nào zhōng
b) 鬧鐘

huā píng
c) 花瓶

xiàng kuàng
d) 相框

xiāng shuǐ
e) 香水

kǒu hóng
f) 口紅

qiú pāi
g) 球拍

wán jù xióng
h) 玩具熊

tài yáng jìng
i) 太陽鏡

10 Project.

Draw your parents' room and the things in it. Describe their room to the class.

11 Game.

EXAMPLE:

tā shì nǚ shēng　tā de gè zi bù gāo　tā de
她是女生。她的個子不高。她的

tóu fà juǎnjuǎn de　　tā de liǎn yuán yuán de
頭髮捲捲的。她的臉圓圓的……

> **INSTRUCTIONS:**
>
> 1 The whole class may join the game.
>
> 2 One student describes one of his/her classmates, and the rest try to guess who he/she is.

12 Speaking practice.

EXAMPLE:

wǒ dì di yì bān zǎo shang qī
我弟弟一般早上七

diǎn qǐ chuáng　tā měi tiān dōu chī zǎo
點起牀。他每天都吃早

fàn　　tā zǎo fàn chī mǐ fàn hé shuǐ
飯。他早飯吃米飯和水

guǒ　　　tā wǎn shang bā diǎn xǐ
果。……他晚上八點洗

zǎo　tā jiǔ diǎnshuì jiào
澡。他九點睡覺。

IT IS YOUR TURN!　Present your daily schedule to the class.

chī fàn yào yòng wǎn
吃飯要用碗

61

shuā yá yào yòng yá shuā hé yá gāo
1 刷牙要用牙刷和牙膏。

xǐ tóu yào yòng xǐ fà yè
2 洗頭要用洗髮液。

xǐ zǎo yào yòng yù yè
3 洗澡要用浴液。

shū tóu yào yòng shū zi
4 梳頭要用梳子。

chī fàn yào yòng
⑥ 吃飯要用
wǎn hé kuài zi
碗和筷子。

hē shuǐ yào yòng bēi zi
⑤ 喝水要用杯子。

wǒ wèn mā ma   yǎng gǒu yào
⑦ 我問媽媽："養狗要
yòng shén me   mā ma shuō
用什麼？"媽媽説：
yào yòng xīn
"要用心！"

New words: 🎧62

shuā
❶ 刷 brush
yá shuā
牙刷 toothbrush

gāo   yá gāo
❷ 膏 paste   牙膏 toothpaste

xǐ tóu
❸ 洗頭 wash one's hair

yè   xǐ fà yè
❹ 液 liquid   洗髮液 shampoo
yù yè
浴液 bath liquid soap

shū   shū zi
❺ 梳 comb   梳子 comb
shū tóu
梳頭 comb one's hair

bēi   bēi zi
❻ 杯 cup   杯子 cup

wǎn
❼ 碗 bowl

kuài   kuài zi
❽ 筷 chopsticks   筷子 chopsticks

yòng xīn
❾ 用心 with care

1 Say in Chinese.

1 書包

2 文具盒

3 鉛筆

4 橡皮

5 尺子

6 sān jiǎo chǐ
三角尺

7 彩色筆

8 là bǐ
蠟筆

9 課本

10 練習本

11 日記本

12 剪刀

13 捲筆刀

14 固體膠

15 gāng bǐ
鋼筆

114

2 Learn the characters.

shū
①
書
book

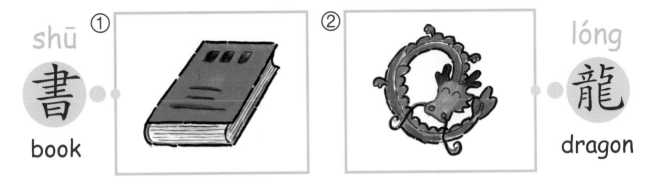

②
lóng
龍
dragon

3 Listen, clap and practise. 63

rì cháng yòng pǐn kě zhēn duō
日常用品可真多：
yá shuā   yá gāo hé bēi zi
牙刷、牙膏和杯子，
shū zi   yù yè   xǐ fà yè
梳子、浴液、洗髮液。
chī fàn yào yòng wǎn hé kuài
吃飯要用碗和筷，
xiě zhì yào yòng zhǐ hé bǐ
寫字要用紙和筆。

4 Recite the times table on page 120.

yī jiǔ dé jiǔ
一九得九，
1×9＝9

jiǔ jiǔ bā shí yī
……九九八十一。
9×9＝81

5 Group work: fill in the blanks with the measure words in the box.

bēi	jiàn	píng	hé	ge	zhī	tiáo	jiān	kē
杯	件	瓶	盒	個	隻	條	間	顆

1) 一___香水
    yì   xiāng shuǐ

2) 兩___教室
    liǎng   jiào shì

3) 三___短褲
    sān   duǎn kù

4) 四___牙
    sì   yá

5) 五___粽子
    wǔ   zòng zi

6) 六___浴液
    liù   yù yè

7) 七___巧克力
    qī   qiǎo kè lì

8) 八___可樂
    bā   kě lè

9) 九___熊貓
    jiǔ   xióng māo

10) 十___長褲
    shí   cháng kù

11) 九___毛衣
    jiǔ   máo yī

12) 八___學生
    bā   xué shēng

6 Listen to the recording. Tick what is correct and cross what is incorrect. 🎧64

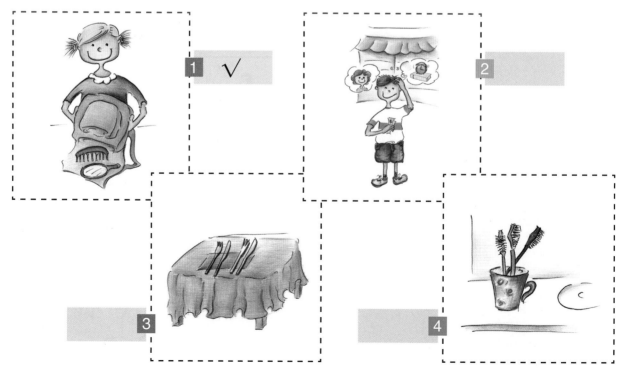

1 √

2

3

4

116

7 Ask your classmates the questions.

nǐ zǎo shang yì bān jǐ diǎn qǐ chuáng
1) 你早上一般幾點起牀？

nǐ yì bān jǐ diǎn chī zǎo fàn
2) 你一般幾點吃早飯？

nǐ yì bān jǐ diǎn chī wǔ fàn
3) 你一般幾點吃午飯？

nǐ men xué xiào jǐ diǎn fàng xué   nǐ yì bān jǐ diǎn dào jiā
4) 你們學校幾點放學？ 你一般幾點到家？

nǐ men jiā yì bān jǐ diǎn chī wǎn fàn
5) 你們家一般幾點吃晚飯？

nǐ yì bān jǐ diǎn shuì jiào
6) 你一般幾點睡覺？

8 Game.

EXAMPLE:

lǎo shī   xiāng jiāo
老師：香蕉

xué shēng   lǜ sè
學生1：綠色

xué shēng   huáng sè
學生2：黃色

INSTRUCTIONS:

1   The whole class may join the game.

2   The teacher says one item in Chinese, and the students are expected to say its colour(s).

9 Say one sentence for each picture.

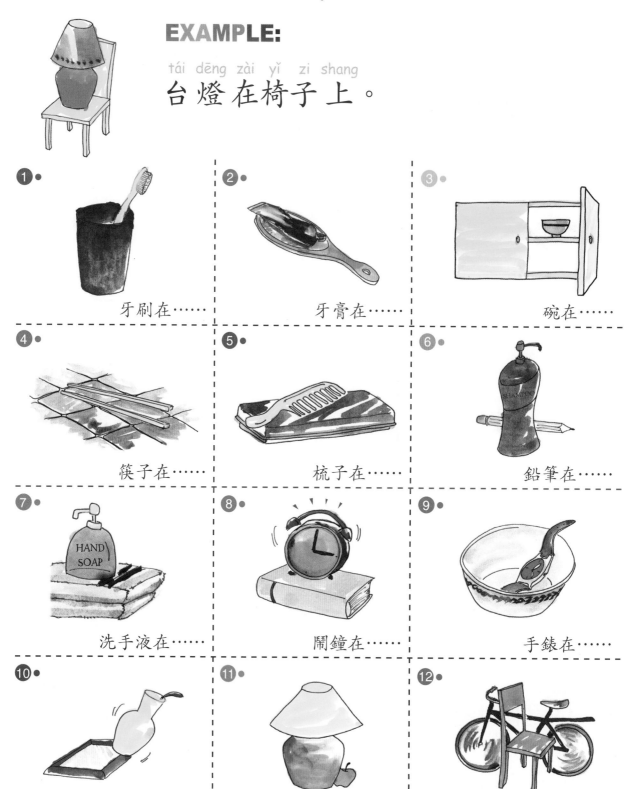

EXAMPLE:

tái dēng zài yǐ zi shang
台燈在椅子上。

① 牙刷在⋯⋯

② 牙膏在⋯⋯

③ 碗在⋯⋯

④ 筷子在⋯⋯

⑤ 梳子在⋯⋯

⑥ 鉛筆在⋯⋯

⑦ 洗手液在⋯⋯

⑧ 鬧鐘在⋯⋯

⑨ 手錶在⋯⋯

⑩ 相框在⋯⋯

⑪ 台燈在⋯⋯

⑫ 自行車在⋯⋯

10 Answer the questions.

1

zuò bǐ sà bǐng yào yòng shén me
做比薩餅要用 什麼？

2

zuò shuǐ guǒ shā lā yào yòng shén me
做水果沙拉要用 什麼？

3

zuò qiǎo kè lì dào gāo yào yòng shén me
做巧克力蛋糕要用 什麼？

4

zuò nǎi lào huǒ tuǐ sān míng zhì yào yòng shén me
做奶酪火腿三明治要用 什麼？

11 Project.

Draw a birthday card and the present you want to give to your best friend. Present them to the class.

chéng fǎ kǒu jué biǎo
乘法口訣表

TIMES TABLE

yī yī dé yī
一一得一
1×1=1

yī èr dé èr　　èr èr dé sì
一二得二　　二二得四
1×2=2　　　2×2=4

yī sān dé sān　　èr sān dé liù　　sān sān dé jiǔ
一三得三　　二三得六　　三三得九
1×3=3　　　2×3=6　　　3×3=9

yī sì dé sì　　èr sì dé bā　　sān sì shí èr　　sì sì shí liù
一四得四　　二四得八　　三四十二　　四四十六
1×4=4　　　2×4=8　　　3×4=12　　4×4=16

yī wǔ dé wǔ　　èr wǔ shí　　sān wǔ shí wǔ　　sì wǔ èr shí　　wǔ wǔ èr shí wǔ
一五得五　　二五一十　　三五十五　　四五二十　　五五二十五
1×5=5　　　2×5=10　　3×5=15　　4×5=20　　5×5=25

yī liù dé liù　　èr liù shí èr　　sān liù shí bā　　sì liù èr shí sì　　wǔ liù sān shí　　liù liù sān shí liù
一六得六　　二六十二　　三六十八　　四六二十四　　五六三十　　六六三十六
1×6=6　　　2×6=12　　3×6=18　　4×6=24　　5×6=30　　6×6=36

yī qī dé qī　　èr qī shí sì　　sān qī èr shí yī　　sì qī èr shí bā　　wǔ qī sān shí wǔ　　liù qī sì shí èr　　qī qī sì shí jiǔ
一七得七　　二七十四　　三七二十一　　四七二十八　　五七三十五　　六七四十二　　七七四十九
1×7=7　　　2×7=14　　3×7=21　　4×7=28　　5×7=35　　6×7=42　　7×7=49

yī bā dé bā　　èr bā shí liù　　sān bā èr shí sì　　sì bā sān shí èr　　wǔ bā sì shí　　liù bā sì shí bā　　qī bā wǔ shí liù　　bā bā liù shí sì
一八得八　　二八十六　　三八二十四　　四八三十二　　五八四十　　六八四十八　　七八五十六　　八八六十四
1×8=8　　　2×8=16　　3×8=24　　4×8=32　　5×8=40　　6×8=48　　7×8=56　　8×8=64

yī jiǔ dé jiǔ　　èr jiǔ shí bā　　sān jiǔ èr shí qī　　sì jiǔ sān shí liù　　wǔ jiǔ sì shí wǔ　　liù jiǔ wǔ shí sì　　qī jiǔ liù shí sān　　bā jiǔ qī shí èr　　jiǔ jiǔ bā shí yī
一九得九　　二九十八　　三九二十七　　四九三十六　　五九四十五　　六九五十四　　七九六十三　　八九七十二　　九九八十一
1×9=9　　　2×9=18　　3×9=27　　4×9=36　　5×9=45　　6×9=54　　7×9=63　　8×9=72　　9×9=81